PHILIP RYKEN

QUANDO OS PROBLEMAS APARECEM

R993q Ryken, Philip Graham, 1966-
       Quando os problemas aparecem / Phil Ryken ; [tradução: Elizabeth Gomes]. – São José dos Campos, SP : Fiel, 2018.

       170 p.
       Tradução de: When trouble comes.
       Inclui referências bibliográficas.
       ISBN 9788581325002

       1. Sofrimento – Ensino bíblico. 2. Sofrimento – Aspectos religiosos – Cristianismo. I. Título.

                                                           CDD: 231.8

Catalogação na publicação: Mariana C. de Melo Pedrosa – CRB07/6477

QUANDO OS PROBLEMAS APARECEM

traduzido do original em inglês:
When Trouble Comes

Copyright © 2016 by Philip Graham Ryken

∎

Publicado originalmente por Crossway,
1300 Crescent Street
Wheaton, Illinois 60187

Copyright © 2017 Editora Fiel
Primeira edição em português: 2018

Todos os direitos em língua portuguesa reservados por Editora Fiel da Missão Evangélica Literária
PROIBIDA A REPRODUÇÃO DESTE LIVRO POR QUAISQUER MEIOS SEM A PERMISSÃO ESCRITA DOS EDITORES, SALVO EM BREVES CITAÇÕES, COM INDICAÇÃO DA FONTE.

∎

Diretor: Tiago J. Santos Filho
Editor: Tiago J. Santos Filho
Tradução: Elizabeth Gomes
Revisão: Renata Cavalcanti
Diagramação: Rubner Durais
Capa: Rubner Durais
ISBN: 978-85-8132-500-2

Caixa Postal 1601
CEP: 12230-971
São José dos Campos, SP
PABX: (12) 3919-9999
www.editorafiel.com.br

A todos que oraram por mim quando eu sofria provações,
e ao meu gracioso Senhor, Jesus Cristo,
que considerou a minha angústia e
perdoou todos os meus pecados (Salmo 25.18).

SUMÁRIO

Prólogo: Ninguém conhece o meu labutar 11
(Salmo 37.39–40)

1 *Ai de mim!* 25
O pecado e a culpa de Isaías (Isaías 6.1–8)

2. *Basta; toma agora, ó Senhor, a minha alma* 39
A desesperadora depressão de Elias (1 Reis 19.1–18)

3. *Onde quer que morreres, morrerei eu* 55
O luto e a pobreza de Rute (Rute 1.1–18)

4. *Tu és o homem* 69
A mortal tentação de Davi (2 Samuel 11.1–5; 12.1–15)

5. *Maldito o dia em que nasci!* 85
A perseguição desanimadora de Jeremias (Jeremias 20.1–18)

6. *Uma espada traspassará a tua própria alma* 99
A alma aflita de Maria (Lucas 1.26–38; 2.22–35)

7. *Agora, está angustiada a minha alma* 113
O sofrimento até a morte do Salvador (João 12.20–33)

8. *Em tudo somos atribulados* 127
As leves e momentâneas aflições de Paulo (2 Coríntios 4.7–18)

Epílogo: Aí vêm os problemas! 143
(João 16.25–33)

Guia de estudos.. 155

PRÓLOGO

NINGUÉM CONHECE O MEU LABUTAR.

(SALMO 37.39–40)

Era o semestre de primavera do ano acadêmico, e eu estava em apuros. Problemas de verdade. No decurso de várias semanas longas e difíceis, caí cada vez mais fundo em desânimo até haver dias em que eu me perguntava se teria forças para viver.

Na época, a maioria das pessoas não sabia nada sobre isso, razão pela qual tomei emprestado o título do prólogo de uma velha canção afro-americana: "Ninguém conhece o meu labutar." Não falo muito a meu respeito nos meus livros e mensagens públicas. Meu propósito principal é falar sobre Jesus. Mas, de vez em quando, falar sobre mim pode ajudar a falar com outras pessoas a respeito de Jesus, e esta é uma dessas vezes.

Neste pequeno livro, conto as histórias de homens e mulheres da Bíblia que enfrentaram todo tipo de problemas — pessoas como Isaías, Elias, Rute e Paulo. Estavam sobrecarregados de culpa e vergonha, sofreram a morte de entes queridos, tiveram crises na família ou passaram por outras dolorosas provações que testaram sua fé. Para alguns, a provação era absolutamente questão de vida ou morte.

Dei ao livro o título *Quando os problemas aparecem*, e o que quero mostrar é a forma como Deus ajudou essas pessoas. O que fez a diferença para esses homens e mulheres de verdadeira fé? O que fizeram quando vieram as provações?

Estou interessado nisso para benefício próprio, mas também para ajudar você — porque sei que você também terá problemas. Na verdade, pode ser que já esteja passando por provações agora. Mesmo que ninguém saiba o seu labutar, você está sofrendo o peso de culpa e vergonha, de luto por perder um relacionamento ou enfrentando um futuro incerto. Se neste momento não estiver lidando com problemas, anime-se! Mais cedo ou mais tarde, você estará. E quando isso acontecer, vai ser de grande ajuda saber o que as pessoas piedosas fazem quando vem a provação.

Antes, porém, de eu contar algumas histórias da Bíblia, quero lhe contar um pouco da minha história, especialmente o que me ajudou a atravessar um momento de provação. Não vou lhe falar de todas as razões pelas quais eu estava com problemas, porque algumas dessas razões estão ligadas a histórias de outras pessoas, e preciso respeitar a sua privacidade. Mas eu lhe direi como me senti quando estava em apuros e como Deus me socorreu. Tomo emprestado algumas linhas do poeta e pregador inglês George Herbert: "Vivo para mostrar o poder daquele que uma vez trouxe minhas alegrias para o choro, e agora minhas tristezas para o cântico".[1]

---

1 George Herbert, "Joseph's Coat," em John Drury, *Music at Midnight: The Life and Poetry of George Herbert* (Chicago: University of Chicago Press, 2013), 356.

O MEU LABUTAR

De modo estranho, o que aconteceu comigo poderia ser resposta de oração. Alguém muito próximo a mim — alguém a quem amo mais que a própria vida — estava passando por um tempo de verdadeiros problemas. Essas aflições vieram com sentimentos de medo tão aterrorizante e dolorosa tristeza que a vida não parecia mais valer a pena ser vivida. Esses intensos sofrimentos iam muito além de qualquer coisa que eu tivesse experimentado em minha própria vida. Assim, pedi a Deus que tirasse o fardo que ela levava e, naquilo que eu pudesse, permitisse que eu o carregasse. "Senhor, ela é pequena demais" – eu disse. "Ela não entende o que está acontecendo com ela. Permita que eu assuma qualquer dor que escolha dar. Em nome de Jesus".

Às vezes, eu gostaria que o Senhor *não respondesse* às minhas orações, mas dessa vez pode ser que ele tenha respondido. Tudo que sei é que nas semanas e meses que se seguiram, enquanto o fardo de minha amada foi aos poucos sendo aliviado, a minha alegria se transformou em tristeza.

Para começar, o meu emprego diurno como presidente da *Wheaton College* tem muitos desafios. Sou tentado a concordar com o acadêmico da Universidade da Virgínia que estudou sobre liderança para a educação superior e concluiu que a presidência de faculdades norte-americanas vai "além da capacidade de qualquer um realizar a tarefa".[2] Equilibrar o orçamento, lidar com questões delicadas entre funcionários, cuidar de estudantes em perigo, enfrentar acusações legais,

---

2 Brian Pusser, "AGB-UVA Symposium on Research and Scholarship in Higher Education," Occasional Paper No. 41 (Washington, DC; Association of Governing Boards of Universities and Colleges, September 2000), 13–14.

QUANDO OS PROBLEMAS APARECEM

responder cartas iradas, tentar levantar dezenas de milhões de dólares, tomar decisões cruciais sobre contratação de pessoas, lidar com ataques vindos da mídia — tudo isso faz parte de um dia de trabalho. Normalmente, esses são fardos que posso enfrentar sem perder muito o sono; não fosse assim, eu não poderia fazer o trabalho. Graças a Deus, há muitas outras pessoas que me ajudam todos os dias a levar todos esses fardos.

Mas o sofrimento de minha amada me afetou profundamente. E, na sábia providência de Deus, eu enfrentava outros problemas também — pesados fardos particulares demais para serem compartilhados detalhadamente: relacionamentos rompidos, ataques sobre o meu caráter, experiências dolorosas do passado. Não foi o melhor semestre para eu passar por uma revisão de desempenho de 360 graus a fim de obter respostas honestas (o bom, o mau, e o feio) quanto à minha liderança a partir de centenas de pessoas do corpo docente, membros da equipe, ex-alunos e estudantes.

Tudo isso me deixou triste e às vezes ansioso. Havia noites em que eu tinha dificuldade para dormir e manhãs quando acordava horas antes da madrugada. Era difícil levantar para enfrentar o dia. Havia dias em que eu chorava a maior parte do tempo em que eu me aprontava.

Duvido que eu fosse boa companhia. Meus problemas estavam tirando tanto a minha energia emocional que era difícil eu estar com as pessoas por muitas horas de cada vez. Eu me lembro de que no Domingo de Páscoa, entre todos os dias, quando estávamos com a casa cheia de visitas, eu precisei me afastar e ficar sozinho diversas vezes só para passar o dia.

Minha esposa, Lisa, e eu procuramos o médico, e quando a equipe médica passou por toda a lista de verificação de saúde emocional, tive uma nota muito baixa, que era humilhante. Comecei a lutar com a dúvida se Deus me amava ou não — outra nova experiência. Quando eu lia as suas promessas, duvidava se eu me qualificava. Eu tentava me consolar com um versículo como o Salmo 86.2, que diz: "Guarda a minha alma, pois sou santo: ó Deus meu, salva o teu servo, que em ti confia". O problema, claro, era que, para início de conversa, não sou tão piedoso assim, e estava tendo dificuldade em confiar no Senhor, então eu não tinha garantia de que Deus me salvaria.

Posso dizer que eu estava em uma espiral descendente. Um dia disse a mim mesmo: "Eu entendo por que as pessoas se matam. É desse jeito que elas se sentem. Parece a única saída". Alguns dias mais tarde, comecei a me perguntar como é que eu daria fim a tudo, se, você sabe... Não era um pensamento que eu desejava, mas Satanás estava me assediando. Se tivesse uma pequena oportunidade, ele a tomaria. As coisas caminhavam numa direção muito ruim, e, do jeito que iam, quanto tempo levaria até eu estar em verdadeiro perigo?

UMA PARTE NORMAL DA VIDA

Esses foram alguns dos problemas que eu enfrentei – não tudo, com certeza, mas uma parte do que experimentei numa triste primavera. Agora suponho que eu teria de mudar meu título para "Todo mundo conhece o meu labutar".

O que quero lhe dizer, no entanto, é que Deus não me abandonou, mas me socorreu. Meu amável Pai celestial, e Senhor e salvador, Jesus Cristo, junto com o ajudador e consolador Espírito Santo, tirou-me em segurança daquele lamaçal. Não posso dizer que minhas provações acabaram ou que sentimentos de desespero jamais voltarão. Posso dar o testemunho que

QUANDO OS PROBLEMAS APARECEM

Davi deu, e dizer: "Mas a salvação dos justos vem do Senhor; ele é a sua fortaleza no tempo da angústia" (Sl 37.39).

Quer saber algumas coisas que me ajudaram? A primeira foi a seguinte: Eu sabia que o que eu passava era totalmente, completamente normal. Não tenho lembranças de ter lutado anteriormente com sérias dúvidas quanto ao amor de Deus ou com sentimentos de desespero. Mas isso não é comum. A amargura que eu provei por breve tempo é algo pelo qual a maioria dos cristãos passa, mais cedo ou mais tarde, e alguns cristãos a enfrentam durante toda sua vida.

Sei disso pela experiência de amigos chegados e membros de minha própria família. Também o sei da história da igreja. Um exemplo: o grande pregador de Londres do século XIX, Charles Spurgeon, lutou contra a depressão durante várias décadas de seu ministério. Alguns pregadores que ele respeitava diziam a suas congregações que "não cedessem a sentimentos de depressão". Mas Spurgeon disse:

> "Se aqueles que lançam culpa com tanta fúria soubessem uma só vez como é a depressão, eles pensariam ser cruel espalhar culpa onde é mais necessário o consolo. Há entre os filhos de Deus experiências repletas de escuridão espiritual; e estou quase persuadido de que os servos de Deus mais favorecidos têm, contudo, sofrido mais tempos de escuridão do que outros".[3]

Vemos o mesmo nas Escrituras. Jó foi tentado a amaldiçoar a Deus e morrer. Isaías estava desfeito. Davi estava abatido. Elias

---

3 Charles Haddon Spurgeon, *Metropolitan Tabernacle Pulpit, vol. 27* (London: Passmore & Alabaster, 1881), 1595.

pediu a Deus que tirasse a sua vida. Esses homens não eram fracos ou rebeldes; estavam simplesmente carregando o peso da vida e do ministério. Mesmo Jesus passou por uma noite escura da alma, quando perguntou se não havia alternativa à cruz, e uma tarde de grande agonia em que se sentiu desamparado pelo Pai.

Tudo isso me leva a aceitar as estações de dúvida, desânimo e depressão como parte normal da vida em um mundo caído. Quando vêm as aflições, isso não quer dizer que eu sou um mau cristão, nem que Deus esteja contra mim, embora algumas vezes eu me sinta assim. Em meu tempo de tribulação, foi de imensa ajuda saber que o problema pelo qual passava acontece com a maioria dos filhos amados de Deus.

Outra coisa que me ajudou foi tentar viver uma vida cotidiana normal. Havia ocasiões em que isso parecia extremamente difícil, mas fiz o melhor que pude. Não tinha apetite, mas certificava-me de comer algo saudável todo dia.

Eu me forcei para manter os exercícios físicos, mesmo quando não tinha muita energia para isso. Louvo a Deus pelo futebol, que ajudou a salvar minha vida. Praticar exercícios regulares tirou o foco dos meus problemas. Fortaleceu-me física e emocionalmente.

Tentei estar presente com meus filhos: indo a recitais, concertos, jogos de basebol, dando carona até a escola, buscando jantar em família e aconchegar meus filhos na hora de dormir. Algumas das lembranças permanecerão comigo por toda minha vida. Uma de minhas filhas e eu cantávamos juntos hinos e cânticos de louvor no quarto dela quando nossos corações estavam quebrados — uma das minhas melhores experiências de adoração de todos os tempos. Outra filha se juntou a mim para uma caminhada bem cedinho para olharmos os pássaros durante a primavera. Eu vi a beleza de Deus no voo das andorinhas, sua alegria nos rouxinóis cantando ao sol, sua sabedoria nas grandes corujas com chifres que pairavam nos carvalhos. Mais ainda, fui abençoado pelo companheirismo de minha filha — seu ministério de presença comigo.

Eu ia aos cultos de adoração — na igreja aos domingos e na capela da faculdade durante a semana. Nem sempre sentia vontade de adorar — não é sempre que os cristãos sentem essa vontade — mas esse foi outro lugar onde Deus me encontrou. Os hinos e cânticos que expressam a graça de Deus para minha necessidade se tornaram especialmente significativos, como a letra do escritor de hinos alemão, Johann Franck:

> Embora trema a terra,
> Agitando cada coração,
> Jesus acalma o meu temor.
> Raios riscam o céu, relampejam os trovões;
> Porém, embora o pecado e o inferno me ataquem,
> Jesus jamais falhará.[4]

É claro, continuei meu trabalho na faculdade de Wheaton cinco ou seis dias por semana. Não parei, mas mantive as rotinas comuns da vida diária: alimento e bebida, trabalho e lazer, família e culto. Todas essas coisas ajudaram, porque fazem parte do plano de Deus para o nosso florescimento.

UM AMIGO É AMIGO PARA SEMPRE

Amigos também me ajudaram, e uma das razões pelas quais puderam me ajudar era porque eu compartilhava com eles o

---

[4] Do hino "Jesus, Priceless Treasure" de Johann Franck, 1653.

que estava acontecendo em minha vida. Claro que não contei tudo a todo mundo. Afinal de contas, quem iria querer saber dos meus problemas todos? Mas contei às pessoas o que eu estava passando. Falei com meus pais. Falei com alguns de meus amigos mais chegados. Compartilhei minhas lutas com presidentes de outras faculdades cristãs. E, é claro, conversei todo dia sobre essas provações com minha melhor amiga, a garota do Colorado por quem me apaixonei quando nós dois ainda estávamos na faculdade.

Foi muito importante eu certificar-me de que os de Wheaton soubessem sob quanta pressão eu estava. Isso era importante para mim, como também para a faculdade. Eu precisava respeitar a liderança que Deus havia colocado sobre mim, o que inclui não fingir que vai tudo bem quando isso não é verdade. Alguns dos fardos que eu carregava precisavam também de cuidado pastoral. Portanto, Lisa e eu procuramos alguns casais no ministério que nos conhecem há longo tempo e ainda nos amarão por muito tempo depois que sairmos de Wheaton.

O ponto é que os fardos não foram feitos para serem levados sozinhos. Se você estiver com um problema, por favor, fale a um irmão ou a uma irmã em quem confia e a alguém que tem a responsabilidade de cuidar de você. Essa é uma parte importante de uma vida saudável no corpo de Cristo.

Fui ajudado por pequenos atos de bondade, como o texto que meu filho Josh enviou, oferecendo-me ajuda naquilo que ele pudesse fazer, ou os cartões de ânimo que as senhoras do meu escritório deixavam sobre minha escrivaninha.

Certa tarde, quando eu estava com pensamentos de desespero, saí de uma reunião para ficar sozinho por alguns minutos. Na providência de Deus, um de meus melhores e mais antigos amigos — Jon Dennis, pastor da igreja Holy Trinity de Chicago — telefonou logo em seguida para saber como eu estava. Eu lhe disse que estava perdendo a vontade de viver. Isso por si só ajudou a colocar as coisas em perspectiva e afrouxou a força dos pensamentos autodestrutivos.

O que fez diferença ainda maior foi meu amigo dizer que me amava. Sabia que isso era verdade. Havíamos crescido juntos, e ele sempre foi um amigo fiel. Mas fez grande diferença em minha vida o fato de ele me dizer, naquele momento, que me amava, o que ele não teria feito se não soubesse o quanto eu estava sofrendo, e o que ele não saberia se eu não lhe tivesse falado.

Meus amigos também oraram por mim, outra coisa que me ajudou muito. Quando chega o sofrimento, nada ajuda tanto quanto o poder da oração.

Muitas pessoas oraram por mim o tempo todo, e isso é humilhante. Pessoas que eu desconhecia, que nem sabiam do meu compromisso com a Wheaton College, foram chamados à oração. Recebo cartões e cartas de pessoas que me contam que oram por mim diária ou semanalmente. Toda quinta-feira, um grupo de mulheres piedosas se reúne a alguns quarteirões do campus da faculdade para passar uma manhã em oração pela Wheaton College, e isso faz uma enorme diferença. Mas em meu tempo de tribulação, eu precisava de mais oração ainda, e necessitava também saber que as pessoas oravam por mim. Faltei uma reunião com as pessoas em meu gabinete, e mais tarde soube que eles passaram um tempo extenso em oração por minha proteção. A mesa administrativa também orou por mim, e muitos deles mandaram bilhetes pessoais de encorajamento. Certa noite, minha mãe e meu pai impuseram as mãos sobre mim. Enquanto orava, meu pai mencionou o que o rei Ezequias

Prólogo: Ninguém conhece o meu labutar

fez quando os assírios cercaram Jerusalém e mandaram uma carta ameaçando a total destruição da cidade. Ezequias tomou a carta, estendeu-a diante do Senhor, e orou pedindo que Deus os salvasse (2Rs 19.14–19). Do mesmo modo, meu pai tomou meus problemas e os expôs diante do Senhor em oração.

Todas essas orações ajudaram, mas alguns dos encorajamentos mais profundos vieram de antigos colegas de classe da faculdade. A maioria deles conhecia pouca coisa das labutas pelas quais eu passava, mas foi o bastante para mobilizá-los a interceder. Meu colega de quarto do primeiro ano, Steve Snezek, escreveu de Montana dizendo que oraria por mim. Jimmy Favino, que é professor de inglês no Ensino Médio em Filadélfia, mandou um email dizendo que passaria o dia seguinte em jejum e oração só por mim. Lisa e eu aprendemos que nossos amigos preciosos, os Nussbaums e os Garretts, estavam se reunindo nos domingos à noite para orar por nós.

Quase não consigo expressar o quanto significa para mim todas essas pessoas se importando comigo a ponto de orar. Mencionei alguns nomes aqui para honrar a sua amizade, mas também para mostrar que, quando surgem problemas reais, precisamos de pessoas de verdade que nos ajudem. Quando eu estava em profunda aflição, meus amigos me cobriram com petições e bênçãos. Suas orações justas foram um poderoso instrumento da graça de Deus sobre a minha vida. Assim, eu indago: Que amigo em apuros precisa das minhas orações? E quem precisa das suas?

Enquanto isso, eu também orava. Em minhas orações, disse a Deus exatamente o que eu estava pensando, como fez Jó quando ele foi afligido. Às vezes, eu não sabia o que pedir ou não encontrava as palavras para formar um pedido inteligível.

QUANDO OS PROBLEMAS APARECEM

Só podia dizer: "Ajuda-me, Jesus" ou "Filho de Davi, tem misericórdia de mim!". Ou eu só conseguia gemer, literalmente. Mas o Espírito Santo entende tão bem as nossas lutas interiores que é capaz de traduzir nossos gemidos em oração. "Não sabemos orar como convém," dizem as Escrituras, "mas o mesmo Espírito intercede por nós sobremaneira, com gemidos inexprimíveis" (Rm 8.26). Por vezes eu me perguntava que sentido o Espírito Santo poderia ver em minha alma angustiada. Só sei que quando vieram as provações, ele transformou meus gemidos em orações diante do trono de graça de meu Pai.

A ÚLTIMA PALAVRA

Eis mais uma coisa que me ajudou: a Palavra de Deus, a Bíblia, as Escrituras do Antigo e Novo Testamentos. Eu guardava como preciosos os versículos que minha mãe compartilhou comigo dos salmos de Davi: "No dia em que eu clamei, tu me acudiste; e alentaste a força de minha alma"; "Se ando em meio à tribulação, tu me refazes a vida; estendes a mão contra a ira dos meus inimigos, a tua destra me salva"; "O que a mim me concerne o Senhor levará a bom termo; a tua misericórdia, ó Senhor, dura para sempre; não desampares as obras das tuas mãos" (Sl 138.3, 7, 8). Algumas das melhores lembranças que tenho são do tempo quando, tarde da noite, Lisa e eu estávamos na cama, e ela lia para mim os Salmos até eu cair no sono, acalmando meu espírito ansioso com as verdadeiras palavras de Deus.

Uma das principais maneiras que Deus se torna socorro bem-presente para nós em tempos de provações é falando a sua verdade à nossa mente e ao nosso coração, que é a razão pela qual escrevi este livro. Concordo com Spurgeon quando disse que "as piores formas de depressão são curadas quando as Sagradas Escrituras são cridas".[5] Assim, desejo que as pessoas vejam nas Escrituras a ajuda que Deus tem para todos nós em tempos de angústia.

Sei que você também terá provações. Pode acontecer até mesmo hoje. Você poderá sofrer a perda repentina de um ente querido. Poderá lutar contra um pecado que parece não conseguir vencer. Experimentará a dor de um relacionamento quebrado. Poderá haver problemas na família que ninguém consegue consertar. Talvez você tenha de desistir de um de seus sonhos. Talvez questione como Deus poderá prover por suas necessidades ou tenha sérias dúvidas quanto a coisas que antes sempre pareciam tão simples de acreditar. Talvez você seja sobrepujado pelas pressões do trabalho ou da escola. Talvez seja tentado a se odiar, ou mesmo a desesperar-se da vida.

O que você vai fazer quando os problemas aparecerem?

As coisas que me ajudaram poderão ajudá-lo também, quem sabe mais do que você imagina. São as coisas básicas da vida: uma boa noite de sono, uma refeição saudável, frequentar a igreja, conversar com um amigo fiel, encontrar com Deus por meio da oração e meditação de sua Palavra.

A razão por que tais coisas ajudam é que elas são dons do nosso amável Salvador, Jesus Cristo. Quando eu lhe disse o que me ajudou em meu tempo de tribulação, estou realmente dizendo como Jesus me ajudou. Nossos corpos são o dom da sabedoria e poder criativo de Deus. Sempre que sentamos para degustar uma boa refeição, estamos sendo servidos pela sua providência. O trabalho também é um presente de Jesus. Brincar é outro presente e, depois disso, uma boa noite de des-

---

5 C. H. Spurgeon, *Metropolitan Tabernacle Pulpit: Containing Sermons Preached and Revised*, vol. 35 (Pasadena, TX: Pilgrim Publications, 1969), 260.

canso. Jesus nos deu um ao outro para encorajar nossas almas, especialmente no culto público. Ele enviou seu Espírito para nos ajudar a orar. Acima de tudo, ele nos deu vida mediante a sua morte e ressurreição. É tudo pela graça de Deus a nós por meio de Jesus Cristo.

Desconheço quais problemas você esteja sofrendo. Mas creio ser verdade o que disse Davi: "Vem do Senhor a salvação dos justos; ele é a sua fortaleza no dia da tribulação. O Senhor os ajuda e os livra; livra-os dos ímpios e os salva, porque nele buscam refúgio" (Sl 37.39–40). Pela graça de Deus, esse é o meu testemunho, no nome de Jesus. E desejo muito que esse seja também o seu testemunho.

1

AI DE MIM!

O PECADO E A CULPA DE ISAÍAS
(ISAÍAS 6.1-8)

Era o ano em que o rei Uzias havia morrido, e Isaías estava em apuros. Problemas de verdade. E não era só ele. Toda a nação de Israel era culpada de gravíssimo pecado contra um Deus santo. Como consequência, as pessoas estavam prestes a cair sob condenação divina, incluindo Isaías. Assim, ele exclamou dizendo: "Então, disse eu: ai de mim! Estou perdido! Porque sou homem de lábios impuros, habito no meio de um povo de impuros lábios, e os meus olhos viram o Rei, o Senhor dos Exércitos!" (Is 6.5).

AI DELES!

Para entender quanto problema Isaías enfrentava, é útil saber que ele era um profeta. Assim, ele era visto como porta-voz de Deus — um homem que dizia palavras de bênção e juízo vindas do Deus vivo. Algumas das suas palavras — não muitas, mas algumas — eram favoráveis. Isaías prometeu que uma luz brilharia nas trevas, que uma virgem conceberia e daria à luz um filho, que aqueles que esperassem no Senhor subiriam como águias, e que um servo justo seria esmagado pelas nossas iniquidades e ferido por nossas transgressões.

Contudo, muitas das palavras de Isaías tinham o peso do juízo de Deus. Um dos melhores lugares para se observar isso é no capítulo que antecede a passagem em que Isaías se encontra em sérios problemas. Francamente, Isaías 6 é uma daquelas passagens bíblicas que, ao contrário do que se imagina, a maioria dos cristãos não conhece tão bem. Muitas pessoas conhecem o versículo 3: "Santo, santo, santo é o Senhor dos exércitos; toda a terra está cheia da sua glória!" Muitos conhecem também o versículo 8, que é um dos grandes textos missionários da Bíblia. O tipo de texto que aparece em cartazes e camisetas: "Eis-me aqui, envia-me a mim". As palavras são muito inspiradoras. Mas quantas pessoas conhecem os versículos que vêm imediatamente antes desse ou os que vêm depois?

Para entender um texto, temos de conhecer seu contexto. Quando voltamos a Isaías 5, encontramos o profeta pronunciando juízo contra o povo de Deus. Ele fala sobre uma vinha cuidadosamente tratada, mas que não produzia frutos, usando-a como metáfora para Israel: o povo de Deus não estava produzindo bons frutos espirituais.

Assim, Isaías disse "Ai" a eles. Seis vezes! Ele lamentou a riqueza adquirida injustamente: "Ai dos que ajuntam casa a casa, reúnem campo a campo, até que não haja mais lugar, e ficam como únicos moradores no meio da terra!" (Is 5.8). Ele condenou a embriaguês deles: "Ai dos que se levantam pela manhã e seguem a bebedice e continuam até alta noite, até que o vinho os esquenta!" (v. 11). Ele criticou sua desonestidade: "Ai dos que puxam para si a iniquidade com cordas de injustiça e o pecado, como com tirantes de carro! (v. 18). Repreendeu o seu relativismo moral: "Ai dos que ao mal chamam bem e ao bem, mal; que fazem da escuridade luz e da luz, escuridade; põem o amargo por doce e o doce, por amargo!" (v. 20). Ele repreendeu seu orgulho intelectual: "Ai dos que são sábios a seus próprios olhos e prudentes em seu próprio conceito!" (v. 21). E repreendeu a sua injustiça: "Ai dos que são heróis para beber vinho e valentes para misturar bebida forte; os quais por suborno justificam o perverso e ao justo negam justiça!" (vv. 22–23).

Ao revermos a lista lamentável de *ais* de Isaías, podemos indagar o que o profeta diria a nós. Talvez prefiramos nem saber, porque a maioria de nós não gosta muito de ver nossos pecados expostos. Mas com toda probabilidade, Isaías nos diria algumas das mesmas coisas que disse à antiga Israel. Ai de nós por usarmos nossa riqueza para multiplicar privilégios egoístas, por abusar do álcool e outros prazeres, por torcer a verdade a fim de melhorar nossa imagem ou por encolher o ensinamento ético das Escrituras para o fazer caber melhor nos nossos desejos pecaminosos. Ai de nós por achar que Isaías 5 é principalmente para outras pessoas — alguém que esperamos que finalmente escutará — em vez de perceber que Deus está falando conosco. Não devemos ser "sábios aos nossos próprios olhos," conforme Isaías o descreve, mas admitir que nós também ainda não somos espiritualmente perfeitos.

QUANDO OS PROBLEMAS APARECEM

AI DE MIM!

Isso nos leva a um dos aspectos mais impressionantes dessa passagem. Conforme notamos acima, Isaías pronuncia seis *ais* no capítulo 5: "Ai dessa pessoa," "Ai daquela pessoa" e "Ai das pessoas de lá". Para completar a sua profecia, poderíamos esperar que ele pronunciasse um sétimo ai. Afinal, sete é o número bíblico que torna as coisas completas. De fato, Isaías pronuncia um sétimo *ai!* É o famoso *ai* do capítulo 6, versículo 5: "ai de mim! Estou perdido! Porque sou homem de lábios impuros, habito no meio de um povo de impuros lábios, e os meus olhos viram o Rei, o Senhor dos Exércitos!". Isaías não pode simplesmente continuar falando "ai de fulano" todo o tempo. Ele não podia simplesmente mandar todo mundo se endireitar e comentar sobre o pecado de todo mundo sem confessar o seu próprio pecado. Não, no ano em que morreu o Rei Uzias, Isaías chegou a um ponto de honestidade total quanto ao fato de que ele era tão grande pecador quanto todos os demais — talvez ainda maior.

Incrivelmente, Isaías fez isso na única área da vida em que havia mais completamente entregado a Deus. Se as pessoas em Israel tivessem perguntado: "Existe alguém aqui que podemos saber que vai falar a verdade?" – a resposta teria sido: "O profeta Isaías". De fato, o homem provavelmente teria dito a si mesmo: "Tem outras áreas da vida nas quais eu luto," talvez Isaías dissesse: "mas se existe alguma parte de meu corpo totalmente dedicado a Deus, essa é a minha boca". Esse homem era profeta, afinal de contas, ou seja, ele era porta-voz de Deus.

Mas Isaías percebeu que ele também era pecador de boca suja. De repente, lhe ocorreu que *ele* era um homem que usava linguagem torpe, que empregava sua habilidade retórica para influenciar pessoas a fazerem o que ele queria, que dizia algo crítico quando poderia ter dito algo benéfico. No exato momento em que o profeta reconheceu isso, ele disse: "Ai de mim! Estou totalmente desfeito, porque descobri que minha boca é tão imunda quanto a de qualquer outra pessoa".

A confissão de Isaías é boa palavra para qualquer um que tenha o costume de fazer comentários críticos, o que inclui a maioria de nós. É sempre uma tentação no trabalho, na igreja, no campus da faculdade, na família e em quase todo lugar. Quando o pensamento crítico não for consagrado pela humildade, ele se torna espírito crítico. Assim, tornamo-nos críticos do desempenho de outras pessoas, da sua origem, seu estilo ou senso de humor. Condenamos o jeito que eles pensam, aquilo que dizem e as escolhas que fazem. Sempre existe alguém para criticar — alguém que não tem tudo no lugar certo como nós temos. A maioria de nós continua criticando até que Deus nos salve como ele salvou Isaías: mostrando que a nossa atitude é um problema muito maior do que aquilo que achamos que está errado com as outras pessoas.

Aleksandr Soljenítsin chegou a lugar similar de reconhecimento em *O Arquipélago Gulag*, sua famosa exposição dos males da União Soviética. O premiado Nobel anteviu que alguns leitores esperariam que ele fizesse uma distinção simples e clara entre as pessoas boas e as pessoas más. Mas Soljenítsin replicou:

"Se fosse assim tão simples! Se houvesse só pessoas más em algum lugar, que insidiosamente cometem obras malignas, e fosse necessário apenas separá-las do restante de nós para as destruir [...] Mas a linha que divide o bem do mal corta pelo meio o coração de todo ser humano."[6]

Não era errado Isaías pronunciar o juízo de Deus. Ele era o profeta e, assim, o seu trabalho era esse. Mas a questão mais séria era o próprio pecado. Não havia uma única área de sua vida que pudesse dizer ser perfeita — nem nas áreas onde mais se esforçava para se entregar a Deus. Portanto, antes de ele poder fazer o que Deus o chamava para fazer, Isaías tinha de se limpar e dizer: "Ai de mim!".

O astrônomo Johannes Kepler também expressou sua convicção e confissão. Kepler havia muito dedicado o melhor de seu poder intelectual à exploração do universo. Ele havia feito isso com o propósito explícito de dar glória a Deus. Mas, mesmo o seu chamado como cientista veio com inevitáveis tentações. Assim, Kepler ofereceu esta maravilhosa oração:

> Se fui seduzido à ousadia pela maravilhosa beleza de tuas obras, ou amei minha própria glória entre os homens enquanto avançava no trabalho destinado à tua glória, perdoa-me com ternura e misericórdia: e finalmente, digna-te graciosamente a fazer com que tais demonstrações conduzam à tua glória e à salvação de almas, e jamais sejam obstáculos para isso. Amém.[7]

---

[6] Aleksandr Soljenítsin, *O Arquipélago Gulag*, 1 ed, trad. Antonio Pescada, (Lisboa: Editora Sextante (Portugal), 2017).

[7] Johannes Kepler, *The Harmony of the World*, citado em Karl W. Giberson, *The Wonder of the Universe: Hints of God in Our Fine-Tuned World* (Downers Grove, IL: InterVarsity Press, 2012), 201.

Vale a pena perguntar: "Que pecado necessito confessar?". Responder com verdade a essa pergunta pode ser o primeiro passo para a sua salvação. Talvez você precise dizer: "Ai de mim, pois sou uma pessoa que gosta que os outros a tenham em maior estima do que deveriam". "Ai de mim, pois sou uma pessoa que destrata as pessoas em vez de edificá-las". "Ai de mim, pois tenho firmes convicções morais em algumas áreas, mas gosto de fazer exceção quando prefiro fazer o que eu mesmo quero". Ou "Ai de mim, pois sou tão pecador quanto foi Isaías, se não pior".

TOTALMENTE IMPRESSIONANTE!

Para apreciar completamente o tamanho do problema no qual Isaías se achava, precisamos saber o que ele estava vendo naquele momento. Chegamos aqui a alguns dos versículos mais surpreendentemente inspiradores de toda a Bíblia:

> No ano da morte do rei Uzias, eu vi o Senhor assentado sobre um alto e sublime trono, e as abas de suas vestes enchiam o templo. Serafins estavam por cima dele; cada um tinha seis asas: com duas cobria o rosto, com duas cobria os seus pés e com duas voava. E clamavam uns para os outros, dizendo: Santo, santo, santo é o Senhor dos Exércitos; toda a terra está cheia da sua glória. As bases do limiar se moveram à voz do que clamava, e a casa se encheu de fumaça. (Is 6.1–4)

Tudo sobre esta cena é totalmente impressionante. Deus é impressionante. Aqui vemos a visão que Isaías teve do Deus Todo-Poderoso — especificamente, Deus o Filho. Sabemos disso porque quando João se referiu ao ministério de Isaías, ele disse que o profeta viu a glória de Jesus Cristo (João 12.41). Isaías viu a impressionante grandiosidade de Deus na pessoa de seu Filho unigênito.

O profeta também viu o trono de Deus, que é tão impressionante quanto. Sei que os tronos são impressionantes, porque, quando os estudantes participam do culto na capela de Wheaton College, hesitam em se sentar na grande cadeira. As pessoas que dirigem o culto em Wheaton se sentam em grandes cadeiras ornadas no palco da Capela Edman. Eu as chamo de "cadeiras de Nárnia" porque parecem os tronos de Cair Paravel, o magnífico castelo das Crônicas de Nárnia, de C. S. Lewis. Por alguma razão, as pessoas sempre ficam maravilhadas com o cadeirão; sabem que não é para elas. Imagine então o que Isaías sentiu na sala do trono do céu quando viu o trono de Deus "alto e sublime". Jesus Cristo está assentado no mais alto dos tronos. Ele é elevado e exaltado.

Seu manto é igualmente impressionante. Isaías viu o seu séquito encher o templo. Pense em uma noiva no dia do casamento, com lindo vestido de cauda seguindo pelo corredor. Imagine agora essa cauda enchendo o corredor, derramando pela igreja toda, pressionando contra as paredes e subindo até o teto. Quando Isaías viu o séquito do manto do Senhor que se assenta no trono de Deus, ele encheu o templo. Isso é totalmente impressionante!

Os anjos de Deus também são impressionantes, e Isaías também os viu — os poderosos serafins. Esses majestosos seres de seis asas — que nós seríamos tentados a adorar no momento em que os víssemos — estavam tão dominados pela máxima santidade de Deus que se cobriram: duas asas sobre os rostos e duas asas sobre seus pés. Com as outras duas asas, voavam para a santa presença de Deus.

O que esses anjos disseram também é impressionante: "Santo, Santo, Santo é o Senhor dos Exércitos; toda a terra está cheia da sua glória!" A repetição é o jeito bíblico de acrescentar pontos de exclamação. Assim, quando os anjos repetem a palavra *santo*, e o repetem novamente, estão testemunhando a absolutamente perfeita e totalmente intocada santidade de Deus, dando testemunho da santidade do Pai, do Filho e do Espírito Santo.

Isaías ouviu um som impressionante — vozes tão poderosas que abalaram os fundamentos do céu. Havia cheiros terríveis também, porque a casa de Deus se encheu de fumaça. Era uma experiência sensorial completa da tremenda grandiosidade de Deus. Eis aqui mais uma coisa absolutamente impressionante: tudo que Isaías experimentou agora está acontecendo na sala do trono do universo. Sabemos disso porque, quando se abriram as portas do céu para o apóstolo João, conforme relatado em seu famoso Apocalipse, ele viu criaturas vivas adorando a Deus o Filho. "E os quatro seres viventes, tendo cada um deles, respectivamente, seis asas, estão cheios de olhos, ao redor e por dentro; não têm descanso, nem de dia nem de noite, proclamando: Santo, Santo, Santo é o Senhor Deus, o Todo-Poderoso, aquele que era, que é e que há de vir" (Ap 4.8).

Parece conhecido? É o mesmo que Isaías ouviu, porque é o que os serafins estão sempre dizendo – e isso é totalmente impressionante! Aparentemente, existem anjos cujo trabalho eterno é adorar a Deus em toda sua santidade. Eles têm feito isso desde o dia em que foram criados. Estão fazendo isso agora mesmo, e o farão para sempre — assim oferecendo a Deus uma infinidade de louvor santo.

QUANDO OS PROBLEMAS APARECEM

A LACUNA MORAL

Dá para imaginar como foi para Isaías experimentar isso? Mesmo se não conseguirmos, podemos imaginar o quanto ele estava em apuros. Isaías 6 é a justaposição de dois extremos absolutos. Duas coisas estavam se aproximando: a impressionante santidade de Deus e a terrível culpabilidade de seu profeta. Nada é mais santo do que o Deus trino, e nada é menos santo do que os lábios de um homem que andou por aí dizendo a todo muito o quanto eles não são santos, sem confessar o seu próprio pecado.

Quando ele estava de pé na sala do trono e percebeu estar preso no meio, Isaías desmoronou completamente; ficou totalmente despedaçado, absolutamente quebrantado e completamente arruinado. Só podia dizer: "Ai de mim! Estou perdido!".

É sábio cada um de nós considerarmos se chegamos a lugar semelhante em nossa própria vida, fazendo uma confissão completa e admitindo sem reservas que somos pecadores à vista de Deus. O problema de Isaías não era apenas que este ou aquele pecado pesava; era a sua própria identidade como pecador. Ele nunca seria suficientemente santo para estar diante de Deus. Qualquer que tenha apenas um vislumbre da verdadeira santidade de Deus saberá imediatamente que ele ou ela está em perigo mortal.

Então permita-me perguntar: Você já esteve onde Isaías estava quando se encontrou totalmente perdido? Você já viu o suficiente da santidade de Deus a ponto de saber que é um pecador culpado? Não falo apenas das coisas erradas que fizemos pelas quais ainda nos sentimos culpados; das coisas erradas que fazemos que não conseguimos parar de fazer; ou de todas as coisas boas que devemos fazer mas não fazemos. Não; o problema em que nos encontramos é o fato de que *somos* pecadores.

NOSSA PARTE: CONFESSAR NOSSOS PECADOS

Então, o que fazer se estivermos nesse tipo de problema? O que pode ser feito quanto a nosso problema mais básico, ou seja, o pecado e a culpa? A primeira coisa a fazer, claro, é admitir isso – foi o que fez Isaías. Ele não tentou se defender. Não veio com uma porção de desculpas. Não disse: "Senhor, sei que sou pecador, mas quero apenas destacar que tem outras pessoas por aí que quebram a tua aliança muito mais do que eu". Ele não tentou reivindicar que as suas boas obras eram maiores que seus maus feitos ou que ele sempre teve boas intenções, mesmo quando falhou em cumpri-las. Não, uma vez que enxergou o gigantesco abismo que o separava da intocada santidade de Deus, ele confessou o seu pecado.

Além do mais, ele confessou seu pecado naquela única área da vida em que ele sempre se orgulhara de ser especialmente justo. Como profeta, ele havia dedicado sua vida a dizer as puras palavras de Deus. Mas mesmo nisso, ele ficou aquém. Disse então: "Sou homem de lábios impuros" (Is 6.5).

O exemplo de Isaías deve nos estimular a identificar as áreas de nossa vida em que nos orgulhamos de ter entregado tudo a Deus. Qualquer coisa que seja — quer seja nos esportes, música, estudos acadêmicos ou ministério — não existe uma única parte de nós que esteja perfeitamente protegida da mancha do pecado.

Eu poderia lhe dar muitos exemplos da minha própria vida, mas eis apenas um. Alguns anos atrás, eu estava me reunindo com os estagiários de nossa igreja — pessoas jovens que estão se preparando para o ministério — e compartilhei uma lista de pecados que são especialmente tentadores para os pastores. Ao ler a lista, eu disse a mim mesmo: "É, esses pecados também são todos uma tentação para mim, com exceção talvez daquele ali". O pecado que eu não considerava tentador para mim era o cinismo.

Sou otimista; procuro ver o melhor em tudo. Assim, nao me considerava cínico. Mas adivinhe qual pecado tenho sido mais convencido de possuir desde aquela noite com meus aprendizes? Cinismo espiritual. É uma tentação para mim criticar uma experiência cristã que me pareça superficial ou quando penso que as pessoas se empolgam mais do que deveriam.

Então, eis um desafio para cada cristão: tome uma área da vida em que você tenha dedicado mais ou menos bem a Deus e peça ao Espírito Santo que o convença do pecado ali mesmo. Não vai demorar muito. Logo você verá que tem problemas também nesta área. Temos problemas com pecado em todo lugar. Mas, quando entendemos que mesmo isto é expressão de graça, temos a chance para nos arrependermos. Espera-se que o façamos como fez Isaías, que confessou livremente ser pecador até o âmago de seu ser. Diremos: "Senhor, tem misericórdia de nós; em ti temos esperado; sê tu o nosso braço manhã após manhã e a nossa salvação no tempo da angústia" (Is 33.2).

A PARTE DE DEUS: EXPIAR O PECADO

Realmente, era só isso que Isaías *podia* fazer: confessar seu pecado. Do mesmo modo, não há nada mais que possamos fazer para resolver o grande problema de nossa culpa senão simplesmente admitir o nosso pecado. Mas existe mais que Deus pode fazer, e ele o faz!

Tão logo Isaías confessou seu pecado, "um dos serafins" voou até ele "trazendo na mão uma brasa viva, que tirara do altar com uma tenaz". O anjo apertou a brasa viva contra os lábios de Isaías e disse: "Eis que ela tocou os teus lábios; a tua iniquidade foi tirada, e perdoado, o teu pecado" (Is 6.6-7).

Esses versículos nos ensinam muitas coisas sobre o perdão do pecado. Eles nos ensinam que não precisamos esperar que Deus nos perdoe; somos perdoados no momento em que nos arrependemos. Quando nos sentimos culpados pelos nossos pecados, não podemos demorar. Em vez disso, devemos correr diretamente para Deus, fazendo plena confissão. Deus é gracioso em perdoar. Embora soubesse os problemas em que Isaías se encontrava — quão lamentável pecador era — Deus não o destruiu; ele o salvou! Qualquer que seja o pecado, quando o confessamos, a misericórdia de Deus vem até nós como o anjo voou até Isaías.

Essa misericórdia, esse perdão, é para cada e todo pecador, outra coisa que aprendemos desses versículos. Deus oferece perdão específico por pecados específicos. Ao tocar a brasa na boca de Isaías, o serafim lidou precisamente com o pecado que o profeta confessara: lábios impuros. A dor devia ser excruciante. Note que o serafim teve de usar uma tenaz para pegar a brasa. O que o anjo fez com a brasa foi dolorido, mas efetivo, porque o pecado de Isaías foi totalmente removido. Sua plena confissão foi seguida de completa purificação.

Esses versículos nos falam também que o perdão é ofertado com base em sangue. Observe que a brasa ardente do serafim veio do altar onde eram feitos os sacrifícios pelo pecado. Foi por

QUANDO OS PROBLEMAS APARECEM

isto que a culpa de Isaías foi tirada e o seu pecado expiado: um cordeiro foi morto, sangue foi derramado, um fogo de juízo foi aceso, e o resultado foi que as aflições de Isaías tiveram fim.

Graças a Deus: toda essa graça está disponível a nós em Jesus Cristo. Quando estamos em sérios problemas devido a nossa culpa (não *se* somos culpados, mas *quando* somos culpados), há um caminho para a nossa salvação. No momento em que confessamos nossos pecados, Deus vem a nós com seu perdão. O Espírito Santo toma a expiação feita por Jesus e a aplica diretamente ao nosso pecado. Orgulho, inveja, lascívia, ganância, furto, desonestidade, preconceito – Jesus tratou de todos os nossos perturbadores pecados na cruz.

Por causa da cruz, não precisamos mais dizer: "Ai de mim!". Em vez disso, podemos dizer: "Obrigado, Jesus". Então, e somente então, estaremos prontos para dizer o que disse Isaías: "eis-me aqui, envia-me a mim".

2

BASTA; TOMA AGORA, Ó SENHOR, A MINHA ALMA.

A DESESPERADORA DEPRESSÃO DE ELIAS (1 REIS 19.1–18)

Era pouco depois do confronto espiritual no monte Carmelo, onde Elias enfrentou 450 profetas de Baal, e ele estava em apuros. Problemas de verdade. Alguns dias antes, o profeta de Deus havia obtido completo triunfo. O seu ministério havia sido vindicado. Seus inimigos, derrotados. Suas orações, respondidas. Elias havia visto toda uma nação voltar o coração para Deus. Mas isso foi antes. Agora Elias estava esgotado, deprimido, com pensamentos suicidas. A alma do profeta *não* estava bem. Sentou-se sozinho debaixo de uma árvore solitária e disse: "Basta, Senhor. Se quiseres minha vida, pode levar, porque eu não quero continuar a viver nem mais um só dia".

UM GRANDE HOMEM DE DEUS

Enquanto Elias se desvanece em escuridão, devemos nos lembrar das realizações espirituais desse grande homem de Deus.

QUANDO OS PROBLEMAS APARECEM

Em tempos tenebrosos e atribulados, Elias era uma luz ardente que brilhava para o povo de Deus. Corajosamente, foi até o perverso rei Acabe e disse-lhe que o castigo de sua idolatria seria a ausência de chuva em Israel (1Rs 17.1). Nos três anos e meio seguintes, Elias orou para que Deus não enviasse chuva dos céus (veja Tg 5.17).

As orações do profeta foram respondidas. Durante aqueles seguintes anos de seca, Elias viveu cada dia pela fé na providência de Deus. Em obediência à ordem de Deus, ele foi se esconder na ravina de Querite, onde todo dia foi alimentado por corvos (1Rs 17.2–6). Quando o ribeiro secou, ele foi a Sarepta e ali também confiou em Deus para o seu pão diário: dia após dia, não acabava a farinha da jarra e o vaso de azeite não secava — assim, todo dia havia pão fresco para comer (vv. 7–16). Elias também tinha fé no poder de ressurreição de Deus. Quando faleceu o jovem filho de uma viúva, o profeta orou para que sua vida voltasse, e o menino foi salvo (vv. 17–24).

Então, Elias subiu o monte Carmelo para confrontar os profetas de Baal. Cada lado prepararia um bezerro sacrificial e oraria para sua divindade. Aquele que respondesse enviando fogo do céu era o verdadeiro Deus de Israel. Elias deixou que os profetas de Baal começassem. Eles oraram o dia todo: "Ah! Baal, responde-nos!" Nada aconteceu. Mas quando Elias orou ao Deus vivo e verdadeiro, o fogo desceu do céu e consumiu tudo (1Rs 18.30–38). Não sobrou nada. Nenhum boi, nem mesmo o altar. Nada de água. O povo de Israel caiu em terra e adorou, enquanto Elias levou os falsos profetas ao rio mais próximo e os matou (vv. 39–40).

Elias estava entre os maiores de todos os profetas — era um gigante espiritual. Francamente, ele era o tipo de pessoa que tinha muito para ser humilde — mais do que a maioria das pessoas — e ele *era* humilde. Primeiro Reis 18 termina com Elias correndo adiante do rei Acabe até o seu palácio em Jezreel (vv. 44–46). É um dos grandes feitos atléticos da Bíblia. No poder do Espírito Santo, Elias correu mais de 32 quilômetros e chegou antes da carruagem puxada com cavalo veloz. Ao fazê-lo, o profeta humildemente se identificou como um servo do rei, pois naqueles dias o rei era precedido por arautos que anunciavam a chegada da pessoa real (veja Et 6.11).

Com coragem, fé e humildade, Elias foi um grande homem de Deus. Era provavelmente a última pessoa em Israel que qualquer um esperaria que desanimasse a ponto de querer morrer. Contudo, ao lermos 1Reis 19, vemos muitos sinais de alerta para o suicídio: Elias queria morrer; estava desesperado; agiu sem refletir e dormia demais; sentia-se isolado e se afastou da companhia humana.[8] Então, o que foi que aconteceu?

PENSAMENTOS SUICIDAS

Quando a carruagem de Acabe chegou em Jezreel, a enciumada rainha Jezabel estava esperando encontrar seu rei e ouvir boas notícias. Em vez disso, teve a notícia de que os seus sacerdotes tinham sido mortos, e então teve um surto mortífero e enviou uma palavra a Elias dizendo que ele era o próximo (1Reis 19.2). Assim, Elias descobriu que era um homem morto, e, naquele momento, toda a sua coragem o abandonou. A grande fé do profeta foi expulsa por repentina ansiedade. "Temendo, pois, Elias" – diz a Escritura – "levantou-se, e, para salvar sua vida, se foi" (v. 3). Alguém que corre

---

8 Para maiores informações sobre os sinais de alerta sobre suicídio e o que fazer, contate a Associação Brasileira de Estudos e Prevenção de Suicídio (ABEPS) em abeps.org.br.

por sua vida consegue correr muito, e Elias correu quase 145 quilômetros, "e chegou a Berseba, que pertence a Judá". Foi então mais um dia de jornada pelo deserto (v. 4). Correu até se jogar debaixo de uma árvore solitária. Então ele orou. Afinal de contas, Elias era um homem de oração. Que tal esta oração: "Basta; toma agora, ó Senhor, a minha alma, pois não sou melhor do que meus pais".

Note que mesmo no ponto de desespero absoluto — quando talvez ele fosse o homem mais solitário do mundo — Elias ainda conseguiu orar. Levou a Deus a sua queixa. Em vez de tomar sua vida, como tentado a fazer, ele pediu a Deus que morresse. Lá no fundo, o profeta sabia que o suicídio é pecado — não imperdoável, e frequentemente um pecado de fraqueza, não de malícia, mas é pecado. Mesmo quando quis morrer, Elias reconheceu o senhorio de Deus sobre a vida e a morte. Em Jó vemos o mesmo (Jó 10.18-19), em Moisés (Nm 11.15), em Jeremias (Jr 20.14) e em Jonas (Jonas 4.3). Todos esses homens desejaram morrer, mas não se mataram. Em vez disso, levaram seu desespero a Deus em oração.

Vemos o mesmo na vida de Jonathan Blanchard, abolicionista do Século XIX que serviu como primeiro presidente da Wheaton College. Blanchard era propenso a surtos de desespero, especialmente nos longos meses de inverno. Certo domingo, ele relatou em seu diário que se sentia "abandonado por Deus" e abandonado "em estado de tormento, sem nenhuma ajuda". Na terça-feira, ele escreveu que continuava experimentando o que descreveu como "um horror de trevas". No entanto, reportou também que tinha se voltado para Deus em oração, pedindo que Deus fizesse por ele o que ele não podia fazer por si mesmo.⁹ Qualquer um que esteja deprimido sabe como Elias se sentiu. Mas até mesmo pessoas que nunca se deprimem podem aprender a ser sensíveis aos gritos de angústia ao seu redor. O pedido desesperado de Elias encontra eco moderno no filme de 1996 *Trainspotting – Sem Limites*, em que a personagem principal diz (editado para tirar linguagem profana):

> Escolha a vida. Escolha um trabalho. Escolha uma carreira. Escolha uma família. Escolha uma grande televisão [...] Escolha sentar-se no sofá e assistir programas de jogos que deixam a mente entorpecida e esmagam o espírito [...] Escolha apodrecer no final de tudo [...] numa casa desgraçada, nada mais que uma vergonha para os moleques egoístas [...] que vocês geraram para substituir vocês mesmos [...] Mas por que eu iria querer fazer uma coisa dessas? Eu escolhi não escolher a vida. Escolhi outra coisa. As razões? Não tem razões. Quem precisa de razão quando temos heroína?

Elias nunca assistiu à televisão nem usou drogas, mas basicamente foi assim que ele se sentiu. Ao chegar até aquela árvore solitária no meio do deserto, estava escolhendo não escolher a vida. Como o poeta Donald Hall, ele só queria "dormir, ficar furioso, matar o dia e morrer".¹⁰

É estranho dizer isso, mas algumas pessoas ainda têm a ideia de que se elas confiarem em Jesus, todos os seus pro-

---

9 Jonathan Blanchard, citado por Clyde S. Kilby, *A Minority of One: The Biography of Jonathan Blanchard* (Grand Rapids, MI: Eerdmans, 1959), 87.
10 Donald Hall, "*Kill the Day*," in *White Apples and the Taste of Stone*: Selected Poems, 1946–2006 (Boston: Houghton Mifflin, 2006), 390.

blemas se resolverão. Deus lhes dará um emprego melhor. Encontrará para eles um cônjuge adequado ou removerá as tentações de pecar. Mas a salvação em Jesus Cristo não acaba com os problemas da vida. Na verdade, às vezes eles estão apenas começando. Cristãos se ferem. Ficamos desanimados e deprimidos. Às vezes, estamos com tanto medo que abandonamos o nosso chamado e corremos para salvar a nossa vida, ou enfrentamos tentações suicidas. Até os líderes espirituais ficam com medo, desistem, fogem, pensam em dar fim a tudo. Quando vemos Elias deitado debaixo de sua árvore, vemos também a nossa própria fraqueza.

DEPRESSÃO ESPIRITUAL: SUAS CAUSAS

Não é difícil encontrar explicações plausíveis para a depressão de Elias. Ele tinha pelo menos seis boas razões para desejar o suicídio.

Primeiro, *fadiga*. Elias estava exausto. Havia corrido quase 30 quilômetros até Jezreel, depois mais 144 quilômetros até Berseba. Quando chegou ao monte Horebe, que é onde terminou sua viagem (1Reis 19.8), havia corrido um total de 480 quilômetros! Por mais atlético que fosse, Elias estava à beira de um colapso físico total, e um crente cansado é um crente vulnerável. Conforme diversos grandes líderes já disseram, a fadiga faz de todos nós covardes.

Segundo, *isolamento*. Nenhum cristão viceja ou sobrevive fora da comunhão dos santos. No entanto, Elias esteve quase totalmente sozinho por mais de três anos. Agora estava totalmente sozinho. Tendo deixado deliberadamente seu servo para trás em Berseba (v. 3), Elias tinha cortado qualquer companheirismo piedoso.

A desesperadora depressão de Elias

Em seguida, *oposição espiritual*. Elias havia permanecido de pé sozinho contra todos os profetas de Baal. Ele os vencera, mas então sofreu oposição de Jezabel, aquela amante de Satanás. Assim, o profeta ficou sob ataque espiritual direto. Com certeza, a oposição espiritual implacável leva um crente ao ponto do desespero.

Eis mais uma explicação para a depressão de Elias: *os ritmos normais da emoção humana*. O profeta acabara de experimentar um ponto alto espiritual, a experiência máxima no cume da montanha. Testemunhara os poderosos feitos de Deus no fogo de monte Carmelo. Mas depois desceu à dura terra, e não é surpresa que ele tenha se tornado um crente deprimido. Ninguém consegue viver uma vida piedosa em pura emoção.

Acrescente à fragilidade emocional de Elias *a sensação de vazio que frequentemente segue a ministração em nome de Deus*. Quando Elias estava em cima no monte, a força do Senhor surgia de cada molécula de seu ser. Agora o vaso estava vazio. Sempre existe algo extenuante sobre servir como canal da Palavra de Deus.

Quem sabe, os pregadores entendam a depressão de Elias melhor que todos. Depois de dar tudo para a proclamação da Palavra de Deus, frequentemente estão andando de tanque vazio. O pastor Donald Baker descreve essa sensação de vazio em seu livro *Depression: Finding Hope and Meaning in Life's Darkest Shadow* (Depressão: encontrando significado nas mais escuras sombras da vida):

> Eu podia pregar com fervor e poder, podia compartilhar Cristo com entusiasmo e sucesso. Eu aconselhava com percepção sagaz e socializava com puro prazer. Mas sem aviso

prévio, qualquer ou todas essas emoções positivas e prazerosas de repente eram forçadas a ceder para sentimentos de tristeza e períodos de fraqueza. Eu me retraía, e um tipo de paranóia se acomodava. De repente eu estava vencido por sentimentos de inadequação e inferioridade. Ocasionalmente, eu brincava com pensamentos de autodestruição [...] Essa luta atingiu seu inevitável clímax quando me encontrei cansado demais para ministrar, cheio demais de hostilidade para amar e assustado demais para pregar.[11]

E o que dizer de *expectativas despedaçadas*? É bastante provável que Elias tivesse ido ao palácio em Jezreel com plena confiança por ter vencido naquele dia, crendo que Israel voltaria para Deus. Mas seu encontro com a rainha Jezebel foi um tapa na cara. Embora Elias tivesse ganhado a batalha, não havia ganhado a guerra — uma realidade desanimadora.

Junto às expectativas despedaçadas de Elias estava a reação muito natural de *medo*. A Escritura é explícita sobre isso: "Temendo, pois, Elias" (1Reis 19.3). Naquele momento, tomado pelo medo enquanto sua vida passava diante de seus olhos, Elias tirou o olhar do Senhor e o fixou exatamente sobre os seus próprios problemas.

Depois, além de tudo isso, o profeta ainda teve de lidar com a *culpa*. Tendo saído na direção que ele mesmo quis, Elias se ausentou sem permissão para isso. Ele desertou de sua posição no meio da batalha, abandonando seu chamado divino no momento em que o destino espiritual de sua nação estava na balança. Elias havia falhado grandemente na única área da

---

11 Don Baker, with Emery Nester, *Depression: Finding Hope and Meaning in Life's Darkest Shadow* (Portland, OR: Multnomah, 1983), 16.

vida que era sua maior força: fé ousada. Era justa sua autocondenação: "não sou melhor do que meus pais" (v. 4).

Muitos fatores contribuíram para a depressão espiritual de Elias. Existem remédios simples (ou pelo menos parciais) para a maioria deles, e conhecer esses remédios é um importante aspecto do cuidado de si mesmo. Se estivermos enfrentando depressão espiritual, devemos identificar suas causas com a maior clareza possível e aplicar o remédio prático mais óbvio. Se estivermos cansados, temos de fazer exercício para depois descansar. Se nossos corpos estiverem desmoronando, temos de comer refeições saudáveis, equilibradas, e, se necessário, receber cuidados médicos apropriados. Se estivermos isolados, devemos ir ao culto de adoração e conversar com amigos cristãos. Se estivermos sob ataque espiritual, devemos orar pedindo proteção espiritual. Se estivermos carregados de culpa, devemos confessar nossos pecados a Deus e uns aos outros.

DEPRESSÃO ESPIRITUAL: SUA CURA

Todas essas soluções são ótimas, mas limitadas, e Elias tinha uma necessidade mais profunda. Quando entendemos sua história de forma completa e correta, fica claro que ele estava clamando por um Salvador — o Salvador que encontramos em Jesus Cristo. Quando Elias disse que não era melhor do que seus pais, estava fazendo algo mais do que confessar os seus pecados; estava reconhecendo que não era o Profeta que Deus prometera (veja Dt 18.15–18). Portanto, outra pessoa teria de vir e salvar o povo de Deus. Por fim, Elias encontraria, pessoalmente, o Salvador, junto com Moisés no monte da Transfiguração (Mt 17.1–13). Mas muito antes do dia raiar, enquanto Elias ainda estava debaixo daquela árvore solitária, Deus respondeu às suas orações mostrando-lhe o mesmo tipo de graça que ele nos dá em Jesus.

Deus não abandonou Elias. Nos momentos mais negros e solitários da vida de Elias, Deus estava com ele. A Escritura diz que o profeta "deitou-se e dormiu debaixo do zimbro; eis que um anjo o tocou e lhe disse: Levanta-te e come. Olhou ele e viu, junto à cabeceira, um pão cozido sobre pedras em brasa e uma botija de água. Comeu, bebeu e tornou a dormir. Voltou segunda vez o anjo do Senhor, tocou-o e lhe disse: Levanta-te e come, porque o caminho te será sobremodo longo." (1Rs 19.5–7).

Elias foi tocado por um anjo — duas vezes. O carinho desse gesto deixa claro que Deus tanto amava este homem debaixo do pé de zimbro, quando ele queria morrer, quanto quando estava em cima do monte, pregando a Palavra. Em toda luta, guarde esta lição no coração: Deus não poderia amá-lo mais do que já ama. O amor de Deus por você em Jesus não é circunstancial; é perpétuo.

Quando Elias disse chega, descobriu que a graça de Deus é *mais* que suficiente. Em um tempo de profundo desânimo, Deus mandou um anjo tocar o profeta com mão gentil e falar com ele com voz audível. Então, Deus deu a Elias o descanso de que ele precisava. Ele deixou o seu profeta dormir em segurança e paz sob o zimbreiro e, depois de comer, dormir novamente. O sono restaurador de vidas de Elias cumpriu uma das mais preciosas promessas da Bíblia: "aos seus amados ele o dá enquanto dormem" (Sl 127.2).

Tudo isso é demonstrado de forma bela no quadro "Elias dormindo", uma pintura do artista chinês contemporâneo

A desesperadora depressão de Elias

He Qi. Neste quadro, Elias dorme serenamente no chão enquanto um anjo paira sobre ele, cobrindo, com suas asas macias, o profeta que dormia debaixo de sua sombra e colocando uma mão sobre sua boca angelical para sussurrar-lhe palavras de graça.

Foi também pela graça de Deus que Elias recebeu pão fresco e água pura (e depois da soneca do profeta, deu-lhe mais). Deus fez tudo isso sem uma palavra sequer de condenação. Lembre-se de que Elias havia fugido do seu chamado; portanto, não tinha nenhuma reivindicação legítima sobre a bênção de Deus. Em vez de virar as costas ao profeta ou dizer que ele parasse de sentir pena de si, Deus mostrou-lhe graça sobre graça. Deus não terminou com Elias. Sua vida ainda tinha um propósito para o reino. A nossa também: por mais desanimados que estejamos hoje, Deus ainda tem um plano brilhante para o nosso amanhã.

Temos de admitir que as coisas não melhoraram imediatamente para Elias. Na verdade, só pioraram. O profeta viajou quarenta dias e quarenta noites até Horebe, o monte de Deus. Ao final daqueles quarenta dias, ele estava tão desanimado como sempre, o que não nos surpreende. Pode ser difícil livrar-se da depressão. Livrar-se dela requer mais do que ler dois versículos da Bíblia e chamar seu pastor pela manhã. Mesmo os cristãos mais fortes talvez necessitem de meses para voltar a servir com alegria no reino de Deus.

Quando Elias chegou ao monte, entrou em uma caverna (provavelmente a mesma caverna em que Deus aparecera a Moisés muito tempo antes; veja Êx 33.20–23) e teve sua festa particular de autocomiseração. "Ele respondeu: Tenho sido zeloso pelo Senhor, Deus dos Exércitos, porque os filhos de Israel deixaram a tua aliança, derribaram os teus altares e mataram os teus profetas à espada; e eu fiquei só, e procuram tirar-me a vida" (1Rs 19.10).

Este não era o melhor momento de Elias. A fala do profeta estava cheia de meias-verdades, falsidades parciais e exageros desleixados que tornavam sua situação muito pior do que realmente era — tentação comum para as pessoas deprimidas. A repetição das suas palavras no versículo 14 sugere que ele tinha ensaiado essa fala no caminho todo até o monte Horebe. Elias estava cheio de justiça própria, auto-valorização e auto-comiseração. "Pobre de mim", dizia. O fato inegável era que ele fugira de seu chamado. Mas Elias só conseguia pensar em tudo o que havia feito para Deus— e tudo o que Deus não estava fazendo por ele.

O que dizemos a nós mesmos é muito importante. Quando deprimidos, somos tentados a dizer coisas como: "Eu mereço mais do que isso"; "Não suporto mais isso"; "Ninguém é capaz de me ajudar"; "Ninguém vai resolver meus problemas"; "Ninguém me ama"; "Ninguém se importa" ou "Eu sou o único que...". Se é isso o que dizemos a nós mesmos, então não é surpreendente o fato de ficarmos desanimados! Em vez disso, precisamos pregar o evangelho a nós mesmos, lembrando-nos de que, porque fomos aceitos em Cristo, Deus jamais nos deixará ou nos abandonará.

Deus não abandonou Elias em Horebe. Ele ainda estava com Elias. Deus continuou tendo compaixão do seu profeta. Falou-lhe novamente — não no forte vento, no terremoto, ou no fogo, mas no "murmúrio de uma brisa suave" (1Rs 19.12 NVI). E quando Deus falou, com ternura chamou Elias de volta ao serviço ativo em prol de seu reino (vv. 15–18).

Pela misericórdia de Deus, o fiel ministério de Elias como profeta continuou abençoando o povo de Deus. Longe de acabar com o seu ministério, o tempo de depressão de Elias serviu de fundamento para frutificação posterior. Charles Spurgeon testifica uma graça similar em sua vida:

Frequentemente, sinto-me muito grato a Deus por ter passado por temerosa depressão de espírito. Conheço as margens do desespero e a horrível beira daquele precipício de trevas em que meus pés quase caíram; mas pude ajudar, centenas de vezes, irmãos e irmãs que chegaram à mesma condição. Eu não lhes poderia dar firmeza se não conhecesse sua profunda desesperança. Assim, creio que a mais negra e terrível experiência de um filho de Deus irá ajudá-lo a tornar-se pescador de homens, se apenas ele seguir a Cristo.[12]

O modo como Deus cuidou de Elias no monte Horebe e debaixo do zimbreiro nos ajuda a entender como ajudar as pessoas que estão desanimadas ou depressivas. Talvez elas não necessitem de muitos conselhos. Provavelmente elas não precisam que digamos o que há de errado com elas. Talvez não precisem ouvir muita coisa. Mas precisam, sim, de um toque de bondade, o ministério de nossa presença pessoal, e de alguém que os ajude em suas necessidades diárias. Também precisam saber que são profundamente amadas — não somente por nós, mas especialmente pelo Deus que ainda tem um propósito amável para suas vidas.

Certa noite escura, uma filha estava em verdadeira aflição — um sofrimento causado principalmente por ela mesma. Perguntei-me: "Essa criança precisa de quê? Uma forte palavra de correção? A ameaça da disciplina? Uma palavra de encorajamento?".

---

12 Charles H. Spurgeon, *The Soul Winner* (New York: Revell, 1895), 286–87.

QUANDO OS PROBLEMAS APARECEM

Dependendo das circunstâncias, qualquer uma dessas respostas poderia ser apropriada. Mas o que minha filha mais precisava naquela noite era daquilo que a maioria das pessoas mais precisam: de uma mão de ternura sobre seu ombro. Ela precisava ouvir de novo que ela era profunda e verdadeiramente amada. E ela precisava saber que não estava presa dentro de sua tristeza; havia esperança para o seu futuro.

Você é filho de Deus, portanto, o seu Pai celestial tem essa mesma graça para você. Ele lhe dará tudo o que deu a Elias. E o dará a você em Jesus Cristo, que é o descanso de Deus para a alma cansada. Jesus diz: "Vinde a mim, todos os que estais cansados e sobrecarregados, e eu vos aliviarei" (Mt 11.28). Jesus é também o pão diário e a água viva. Assim, ele diz: "Eu sou o pão da vida; o que vem a mim jamais terá fome; e o que crê em mim jamais terá sede" (Jo 6.35). Jesus Cristo é perdão pelo pecado; não há condenação para aquele que nele confia — nem agora nem jamais (Rm 8.1).

MAIS QUE SUFICIENTE

Sempre que nos sentirmos esgotados, precisamos voltar para Jesus e aprender de novo que ele é mais que suficiente. Essa não é simplesmente uma resposta de escola dominical, é a resposta completa, porque Jesus é tudo de que precisamos. Jesus ouve as orações angustiadas que oferecemos nos lugares mais solitários. Ele conhece nosso desânimo e nossa depressão, se as coisas tiverem chegado a esse ponto. Ele ouve nosso clamor por socorro e não nos abandona. Ele ainda nos ama e estende sua mão para nos tocar. Ele deseja perdoar nossos impiedosos pecados e conceder descanso à nossa alma cansada.

Em resposta ao que estava aprendendo sobre a graça de Deus em tempos difíceis, uma estudante da Wheaton College escreveu o seguinte credo —"Um Credo para Mim," conforme ela o chamou:

> Creio na graça. Não somente aquela graça definitiva que foi manifesta quando Jesus morreu na cruz, mas a graça que diariamente infiltra minha vida, que me oferece perdão quando inevitavelmente eu peco, que me oferece redenção presente e futura [...] eu creio. Existe mais que apenas esse crer. Aqui também há dor profunda. Existe um exílio que parece ressurgir com mais frequência que a minha alegria, e um cansaço presente que nem consigo entender. Poderia encher páginas com a agitação que sinto dentro de mim. Mas para o momento, basta dizer isso. Luto, choro e escolho reivindicar dentro do meu coração que, em e através de tudo, eu ainda creio.[13]

A fé surge em nossos corações toda vez que voltamos para Jesus e à sua cruz, que é para onde a história da desesperadora depressão de Elias deve nos apontar. No Século XIX, o pregador alemão F. W. Krummacher eloquentemente comparou a árvore de Elias à cruz em que Jesus morreu. As suas palavras servem como apropriada conclusão para a história do profeta, bem como sábio encorajamento para nossa própria peregrinação:

> Escute. Por mais que lhe pareça ter bastado, como se o fardo da vida não devesse mais ser suportado, faça como

---

13 Rachel Rim, "A Creed for Myself" (January 12, 2015), conforme postado em seu blog, *No Language but a Cry*, https://pilgrimsearch.wordpress.com/2015/01/12/a-creed-for-myself/, acessado em 30 de Junho de 2015.

QUANDO OS PROBLEMAS APARECEM

fez Elias. Fuja você também, ao silêncio da solitude, e eu lhe mostrarei uma árvore; ali você se lançará debaixo dela. É a cruz. Sim, um [madeiro], coberto de espinhos e aguilhões que penetram a alma. Revestidos por [...] pregos que ferem o coração, que causam [...] dor e sofrimento. Mas essa [árvore] tem também um perfume que refresca a alma [...]. Na presença da cruz, não se pensa mais em reclamar da enormidade de seus sofrimentos. Pois [...] o amor de Deus em Jesus Cristo por você, pobre pecador, logo afastará todos os seus pensamentos e reflexões para longe de tudo mais [...]. Sob a cruz, as suas queixas logo serão absorvidas pela paz do Senhor.[14]

---

14 F. W. Krummacher, in R. Larry Todd, ed., *Mendelssohn and His World* (Princeton, NJ: Princeton University Press, 1991), 129.

3

ONDE QUER QUE MORRERES, MORREREI EU.

O LUTO E A POBREZA DE RUTE
(RUTE 1.11–18)

Nos dias dos juízes — quando não havia rei em Israel e a fome devastava a terra — Rute estava em apuros. Tinha problemas reais. Depois de uma época de prosperidade, sua família tinha sofrido um desastre após o outro: fome, pobreza e a morte de todos os homens adultos que pudessem proteger e prover por sua vida. Ao chegar na metade da longa e empoeirada estrada que ia de Moabe a Belém, Rute tinha de fazer uma escolha — a escolha que determinaria seu destino e desempenharia uma pequena, mas indispensável, parte na grande história de nossa salvação.

OS PROBLEMAS ENFRENTADOS POR RUTE

Para compreender todos os problemas que Rute enfrentava, bem como as consequências salvíficas de sua escolha, precisamos entrar em seu mundo. Quem era Rute, qual era a sua experiência e que tipo de ajuda ela encontrou em tempo de grande provação?

Na providência de Deus, Rute havia se casado com um homem de Belém. Isso em si era um tanto incomum, pois Rute não era judia, e sim, moabita, e, naqueles dias, a maioria dos homens judeus não aceitava noiva estrangeira. Os moabitas especificamente foram proibidos de adorar na assembléia de Israel (Dt 23.3). No entanto, Rute havia se casado com Malom, cuja família fugira para a terra de Moabe para escapar da fome desesperadora de Israel. Por quase uma década, viveram em paz e prosperidade. Eles eram um total de cinco: Rute e Malom, a mãe dele, Noemi, (que era viúva, tendo seu marido morrido depois que chegaram a Moabe), e seu irmão, Quiliom, casado com Orfa, outra moabita. Depois, tudo mudou. Em um curto espaço de tempo, Malom e Quiliom também morreram. Não sabemos a causa de sua morte, mas conhecemos o resultado: Noemi, Rute e Orfa ficaram sozinhas em uma cultura que privilegiava apenas os homens. Assim, essas mulheres estavam vivenciando toda espécie de dificuldade.

Para começar, elas estavam sofrendo a perda de seus maridos, uma das mais dolorosas tristezas que qualquer pessoa pode sofrer. Segundo o Inventário Holmes-Rahe de Estresse, a morte de um cônjuge está em primeiro lugar na lista, e nada mais chega perto disso. Não importa quando isso acontece — se o casal é jovem ou idoso — a morte de um esposo ou de uma esposa muda tudo. O processo de luto leva anos e seus efeitos duram a vida inteira. Como disse uma mulher:

"Quando perdi meu marido, perdi meu melhor amigo [...], perdi meu companheiro de vida [...], perdi a pessoa com quem eu conversava [...], perdi meu sonho do futuro [...], perdi meu sócio empresarial [...], perdi um pedaço de mim".[15]

Talvez Rute sentisse o mesmo, como se tivesse perdido uma parte de si. Nossos corações se solidarizam com ela, a viúva enlutada. O sofrimento de Rute nos lembra de todas as nossas tristes perdas, bem como as perdas das pessoas que amamos. Todo mundo carrega um peso. Pode ser a morte de um pai ou de uma mãe, de um irmão ou irmã — algo sobre o qual pensamos todo dia. Pode ser a morte de um sonho – algo que esperávamos acontecesse, mas que agora sabemos que nunca mais vai acontecer. Pode ser também a morte da família que pensávamos ter, mas agora tudo se desfez. O luto é a dor de saber que a vida nunca mais será a mesma.

Porém, isso não é tudo. A morte de três homens de uma mesma família teve devastadoras implicações sociais e financeiras. Conte essa história a qualquer um do mundo antigo e depois lhe pergunte o que aconteceria a essas mulheres em seguida; eles lhe diriam que elas enfrentariam o desamparo total e o perigo. Logo Noemi seria uma sem-teto em Belém. Rute também se encontrava em grande apuro. Sem terra para chamar de sua, sem fonte de renda, estava reduzida a viver como imigrante, colhendo alguma coisa para comer nos limites do campo de alguém. Essas mulheres teriam de tomar muito cuidado com o lugar aonde iam, porque os homens tentariam tirar proveito delas. Os últimos capítulos de Juízes contam uma história daquela época sórdida de violência sexual: estupro, assassinato e desmembramento.

---

15 Sharon Ohnemus, "When I Lost My Husband", http://www.kilcrease.com/files/Article_Video/When%20I%20Lost%20My%20Husband.pdf, acessado em 30 de Setembro de 2014.

QUANDO OS PROBLEMAS APARECEM

Talvez algumas poucas pessoas que lêem este livro tenham sido tão pobres a ponto de entender os problemas que essas mulheres enfrentavam. Mas, se nós somos mais afortunados, devemos parar para lamentar as tristezas de um mundo sofredor. Hoje, talvez, haja um bilhão de mulheres que conseguem se identificar com esta narrativa bíblica. Existem milhões de viúvas como Noemi e pobres jovens como Rute. Vivem em favelas, mendigam em ruas, estão presas pelo tráfico sexual ou viajam como refugiadas de um país para o outro.

Existe lugar em seu coração para os pobres e arruinados? Tem espaço em sua vida para mulheres e crianças em risco? Você faz alguma coisa para ajudar imigrantes e refugiados?

Ao considerarmos um mundo com grande carência, talvez possamos nos identificar com esta oração da África do Sul, conforme compartilhada pelo Arcebispo Desmond Tutu:

> Deus, meu Pai,
> Estou cheio de
> De angústia e questionamento.
> Por que, ó Deus, existe tanto sofrimento,
> Tanto sofrimento desnecessário?
> Onde quer que olhemos, existe dor
> E sofrimento...
> Por que tanta matança,
> Tanta morte e destruição,
> Tanto sangue derramado, tanto sofrimento,
> Tanta opressão e injustiça, pobreza e fome?

A oração de Tutu não termina com uma pergunta, mas com uma resposta cautelosa e plena de esperança baseada no evangelho:

Este é o mundo
Que tu amaste tanto que por ele
Deste teu unigênito
Filho, nosso Senhor e Salvador Jesus Cristo, que foi pendurado
Sobre a cruz, ferido até a morte
Amor quase totalmente vencido pelo ódio
Luz quase extinguida pelas trevas
Vida quase destruída pela morte —
Mas não completamente [16]

Todo ano, os alunos do programa de Necessidades Humanas e Recursos Globais da Wheaton College oferecem uma oração similar:

"Em um mundo de violência entre pessoas, clãs e nações; de violência sobre o próprio ser; onde as famílias são dilaceradas por relacionamentos quebrados [...] e onde o ódio e a guerra são notícias cotidianas [...], em um mundo assim, Deus, o que queres que façamos?"

A liturgia continua, e essa oração que pede por direção recebe resposta clara:

"Somos chamados, simplesmente, a nos agarrar, com toda nossa força, a Cristo e à sua cruz com uma mão; e, com a outra mão, a segurar aqueles que fomos chamados a amar com toda força, com coragem, humor, abandono de si, criatividade, arte, lágrimas, silêncio, empatia, ternura, flexibilidade, à semelhança de Cristo".[17]

---

16 Desmond Tutu, "Litany," in *An African Prayer Book* (New York: Doubleday, 2006), 88–90.
17 Essa oração é parcialmente extraída de N. T. Wright, *For All God's Worth: True Worship and the Calling of the Church* (Grand Rapids, MI: Eerdmans, 1997).

QUANDO OS PROBLEMAS APARECEM

A ESCOLHA DE RUTE

Quando se trata de segurar em Cristo com uma mão e nas pessoas que amamos com a outra, seria difícil encontrar exemplo melhor do que Rute, que fez um compromisso de vida ou morte de permanecer com Noemi. Imagine a cena e sinta sua dramática tensão. Três mulheres em meio ao horizonte se dirigindo ao deserto. Antes de chegar perto de Belém, Noemi parou no meio da estrada e disse a suas noras que voltassem para suas casas em Moabe. Ela as abençoou pela bondade delas, mas disse também claramente que deveriam voltar para casa, onde havia alguma esperança de encontrarem outros homens com quem casar.

A essa altura, as duas jovens mulheres romperam em lágrimas. O cenário é o mais próximo que a Bíblia chega de uma novela. "E beijou-as [Rute e Órfã]. Elas, porém, choraram em alta voz" (Rute 1:9). Elas falaram a Noemi: "Não! Iremos contigo ao teu povo" (v. 10). Mas Noemi não teria nada a oferecer. Não tinha esperança de um novo marido e, assim, não podia lhes oferecer nenhuma garantia de provisão ou proteção — a amarga verdade que cortava o coração da velha viúva. "Não, filhas minhas! Porque, por vossa causa, a mim me amarga o ter o Senhor descarregado contra mim a sua mão" (v. 13).

A angústia de Noemi provocou mais uma rodada de lágrimas; as três mulheres, "de novo, choraram em alta voz" (v. 14). Choravam, lamentando como fazem as mulheres do Oriente Médio. Quando finalmente as lágrimas secaram, Orfa fez a escolha sensata. Amava Noemi o bastante para andar parte do caminho até Belém, mas, ao imaginar que ficaria melhor em casa, beijou Noemi em despedida. Quem poderia culpá-la?

O luto e a pobreza de Rute

Mas Rute fez a escolha oposta, com consequências enormes. O que ela decidiu levaria à salvação do mundo. Veja o que fez ela: enquanto Orfa dava seu último adeus, Rute se apegou a Noemi. Aqui, a Bíblia usa um verbo forte que indica um laço inquebrável. Podemos imaginar Rute abraçada a Noemi, e, depois, quando sua sogra começa a se afastar, Rute agarra em suas vestes para evitar que ela vá embora sem ela. Rute simplesmente recusou soltá-la.

De início, Noemi tentou empurrá-la para longe, dizendo: "Eis que tua cunhada voltou ao seu povo e aos seus deuses; também tu, volta após a tua cunhada" (v. 15). Essas palavras esclarecem o que estava em jogo espiritualmente. A escolha que Rute e Orfa confrontaram não foi meramente quanto à localização geográfica, identidade étnica ou às chances relativas de encontrar um parceiro para a vida em uma ou outra comunidade. Não, em meio aos problemas, essas mulheres estavam escolhendo se queriam seguir ao Deus vivo e verdadeiro. Rute já havia feito a sua escolha. Estava de tal forma decidida que ao ouvir Noemi o que sua nora tinha a dizer percebeu que não tinha razão para argumentar. Rute disse: "Não me instes para que te deixe e me obrigue a não seguir-te; porque, aonde quer que fores, irei eu e, onde quer que pousares, ali pousarei eu; o teu povo é o meu povo, o teu Deus é o meu Deus. Onde quer que morreres, morrerei eu e aí serei sepultada; faça-me o Senhor o que bem lhe aprouver, se outra coisa que não seja a morte me separar de ti" (vv. 16–17).

Palavra após palavra, esse pode ter sido o melhor discurso que uma pessoa já fez. É uma confissão de fé feita por uma mulher de fé. Nos termos mais claros e fortes possíveis, Rute diz ao mundo o que significa pertencer a Deus e a seu povo.

QUANDO OS PROBLEMAS APARECEM

Quando chegaram os problemas, essa mulher não desistiu, mas se dobrou. Fez um compromisso de vida ou morte com o Deus de Israel.

Essa não é a escolha feita pela maioria das pessoas quando se deparam com provações tão grandes quanto essas. Em vez de ir com Deus, a maioria das pessoas lançam sobre ele a culpa de seus problemas, como fez Noemi. Considere o testemunho de Rose Thurgood, que nasceu em 1602 e escreveu uma narrativa pessoal sobre sua experiência espiritual. Eis o que Thurgood escreveu sobre sua resposta espiritual a uma terrível moléstia que abateu sua família:

Assim estávamos prostrados, muito enfermos, por um mês, e meus filhos às vezes ficavam tão quentes em seus ataques que ninguém conseguia saciar sua sede, e eles desmaiavam [...]. Agora me vejo nessa extrema pobreza e carência, com toda a minha casa enferma novamente, e em tudo o Senhor me entregou à dureza de coração novamente, a ponto de eu gritar enraivecida e praguejar contra o próprio Deus, dizendo para mim mesma, que Deus é esse, o que ele pensa em fazer com meus filhos; certamente morrerão. Assim, comecei a brigar com Deus.[18]

Noemi disse mais ou menos a mesma coisa: "Que tipo de Deus é esse, e o que ele pensa em fazer com a minha família?". Mas Rute fez uma escolha diferente. Quando veio a aflição, ela escolheu ir com Deus, mesmo que sua cunhada estivesse indo na direção oposta. Foi a escolha de embarcar em uma longa e perigosa jornada que nenhuma mulher deveria enfrentar so-

---

[18] Rose Thurgood, "A Lecture of Repentance," citado em John Drury, *Music at Midnight: The Life and Poetry of George Herbert* (Chicago: University of Chicago Press, 2013), 16.

zinha. Foi a escolha de uma nova identidade cultural em um mundo onde isso era quase inconcebível. Foi também a escolha de ficar com sua sogra, que no máximo era uma bênção mista: Noemi estava tão amargurada que, quando chegou em Belém, as pessoas quase não a reconheceram.

Havia muitos obstáculos para Rute ir com Deus. Sempre há! Quando chegam as grandes escolhas da vida — as escolhas que determinam o destino espiritual de uma pessoa — sempre existe todo tipo de razão para se fazer outra coisa. Se Rute fosse a Belém, estava escolhendo descer uma perigosa estrada, com uma pessoa difícil, para um destino desconhecido. Mas, em vez de desistir de Deus, ela fez a escolha certa, a melhor escolha, o que, para ela, foi a única escolha possível. Rute queria estar "integralmente" com o Deus vivo. Em sua percepção, isso não era uma aposta de jogo, mas uma certeza pela fé. Assim, tendo por testemunha o próprio Deus, ela fez um voto solene de segui-lo até a morte.

Uma das coisas que mais me inspiram em relação à Rute é que ela fez sua escolha quando era jovem, provavelmente ainda na casa dos vinte anos. Mas em qualquer idade, as decisões que tomamos hoje demarcam o curso para a eternidade. Não importa quem somos ou o que tenha acontecido — se tudo vai bem para nós ou desesperadamente errado — temos à nossa frente o resto da vida.

Se formos sábios, iremos com Deus, onde quer que ele nos chame para ir. Alguns crentes servem no mundo empresarial, onde existem oportunidades de criar valor para as pessoas feitas à imagem de Deus. Outros servem no campo da educação, ensinando as pessoas a respeito do que Deus criou. Os artistas exibem verdade e beleza com a paisagem e os sons da criação.

QUANDO OS PROBLEMAS APARECEM

Outros cristãos têm seus chamados na ciência, medicina, no direito ou na política pública. Muitas outras pessoas ainda estão tentando entender o que fazer e para onde ir, e, nesse caso, o mais importante é dizer a Deus — sem reservas — que estamos dispostos a ir e a fazer o que ele quer. Se formos com Deus, ele nos dará oportunidade de fazer algo útil para o reino.

Se formos sábios, ficaremos com Deus, onde quer que ele nos chame a permanecer. Jamais devemos subestimar o quanto isso pode ser difícil. Às vezes, permanecer com Deus é muito mais difícil do que ir com Deus. Tudo dentro de nós clama por fazer uma tarefa diferente, em outro lugar, com pessoas diferentes. Mas se esse não for o caminho de Deus para nós, não será o caminho certo, não importa quanto seria mais fácil. Fique com Deus e com seu povo. Onde formos neste mundo, devemos nos apegar à igreja da forma como Rute se apegou à Noemi. O único modo de permanecer com Deus neste mundo é permanecer perto de seu povo.

Vá com Deus, fique com Deus. Viva com Deus, morra com Deus e, então, viva com ele para sempre. Essa foi a escolha de Rute, e essa decisão se tornou seu destino. Também será nosso destino se escolhermos Deus como fez Rute.

AS CONSEQUÊNCIAS DA ESCOLHA DE RUTE

Quais foram as consequências da escolha de Rute? Algumas pessoas dizem que não importa o destino, apenas a jornada. Mas quando se trata da vida de uma alma humana, é o destino que torna valiosa a jornada. Assim, precisamos conhecer o resto da história. O que aconteceu a Rute e a sua sogra, Noemi?

Para início de conversa, o relacionamento delas foi uma bênção mútua. Noemi teve o apoio do encorajamento e com-

O luto e a pobreza de Rute

panheirismo de Rute, e vice-versa. Portanto, essas mulheres desfrutaram do que Francis Bacon descreveu como "os dois efeitos contrários" da amizade humana: "ela redobra as alegrias e corta as tristezas pela metade".[19] Rute e Noemi tiveram também o tipo de relacionamento que Aelred de Rievaulx descreveu em seu tratado clássico *Sobre Amizade Espiritual*.[20] Aelred foi líder de uma comunidade monástica em Yorkshire, Inglaterra, durante o Século XII. Ele queria ajudar os cristãos não casados a experimentar a trasformação de vida da comunidade por meio de relacionamentos cheios de amor. Ele então contrastou a "amizade carnal", baseada apenas na busca compartilhada de prazer, e a "amizade mundana", baseada em vantagens mútuas, com a "amizade espiritual", que se fundamenta no discipulado compartilhado. O amigo carnal diz: "Vamos nos divertir!". O amigo mundano diz: "Se você coçar minhas costas, eu coço as suas". Mas o verdadeiro amigo espiritual diz: "Vamos ajudar um ao outro a seguir Jesus" (que, afinal, dá a mais verdadeira alegria e produz as melhores e mais autênticas vantagens da vida).

As categorias de Aelred nos oferecem um bom jeito de testar a qualidade de nossos relacionamentos: Tenho essa amizade porque ela me faz sentir bem — por causa daquilo que consigo obter dela — ou porque essa amizade me ajuda a crescer em piedade?

Rute era uma verdadeira amiga espiritual para Noemi. Essas mulheres estavam quase sozinhas no mundo, mas elas

---

19 Francis Bacon, "Of Friendship," in *The Essays or Counsels, Civil and Moral, of Francis Bacon* (Chicago: Donahue, Henneberry, & Co., 1883), 125.
20 Aelred of Rievaulx, *On Spiritual Friendship*, Cistercian Fathers Series: Number 5, trans. Lawrence C. Braceland, ed. Marsha L. Dutton (Collegeville, MN: Liturgical Press, 2010).

QUANDO OS PROBLEMAS APARECEM

tinham uma a outra, e andaram juntas pelo caminho onde encontrariam a presença de Deus e floresceriam sob a sua provisão. Desde o momento em que fez sua escolha de ir com Deus, e também com Noemi e o povo de Deus, Rute vivenciou uma bênção após outra. É isso o que acontece com as pessoas que, quando estão em apuros, vão para Deus: elas obtêm a ajuda de que precisam.

Rute e Noemi chegaram a Belém no início da colheita da cevada — sinal da provisão de Deus. No dia seguinte, Rute saiu para colher uns grãos da beira de um campo próximo. Era assim que as pessoas pobres sobreviviam naqueles dias; era a forma bíblica de "força de trabalho".

Na providência de Deus, aconteceu que Rute acabou indo ao campo de Boaz — homem piedoso que protegia de qualquer tipo de abuso as mulheres que vinham a seu campo (veja Rute 2.8–9). Naquela noite, Rute voltou para casa com o xale cheio de cevada. Noemi ficou animada com isso, não simplesmente porque as mulheres teriam o bastante para comer, mas também porque percebeu que Boaz era parente próximo suficiente para cumprir a sagrada obrigação de casar com Rute, ter um herdeiro e resgatar toda a família, tirando-a da pobreza. Usando o termo bíblico para isso, Boaz era elegível para servir como seu *parente remidor*.

Noemi agiu rapidamente. Mandou que Rute vestisse sua melhor roupa, passasse um doce perfume e se aproximasse de Boaz com uma proposta de casamento. Naquela noite, Rute agarrou sua chance e corajosamente pediu em casamento o solteiro mais apreciável de Belém. Esse romance tornou-se sua redenção. No dia seguinte, Boaz buscou dos líderes da cidade sua licença de casamento, o casal feliz casou-se, e, nove meses depois, Noemi segurava um neto no colo. Assim, uma história que começou com três funerais acabou tendo um casamento e um chá de bebê.

E também não foi um bebê qualquer. O menino recebeu o nome de Obede. Este se tornou pai de Jessé, e, portanto, avô de Davi, que deu início à única dinastia eterna no mundo: o reino do filho de Davi, Jesus Cristo. Assim, a escolha de Rute foi parte indispensável da história da nossa salvação. Ray Bakke resume a história de Rute desta forma: "Rute, moabita e descendente de Sodoma, é coreografada na antiga história de Israel ao tornar-se bisavó do maior rei de Israel e ancestral de Jesus em seu lado terreno".[21] Sem Rute, sem Obede. Sem Obede, sem Jessé. Sem Jessé, sem Davi. Sem Davi, nenhum Salvador teria nascido para nós na Cidade de Davi, e, portanto, nenhuma salvação.

FELIZES PARA SEMPRE

Deus seja louvado pela escolha que Rute fez! Quando veio a aflição, ela não desistiu de Deus nem virou as costas a ele, mas redobrou seu compromisso com ele e dedicou novamente sua vida a segui-lo, não importando o que acontecesse. Ao fazer isso, ela encontrou a ajuda de que precisava: consolo na tristeza, comida em tempo de fome, refúgio sob as asas de Deus (veja Rt 2.12) e amor do seu povo, com romance acrescentado em boa medida.

É assim que as histórias realmente boas são: da morte e desespero para felizes para sempre. Não tome o caminho mais fácil de seguir; em vez disso, faça a escolha mais difícil. Quan-

---

21 Ray Bakke, *A Theology as Big as the Cidade* (Downers Grove, IL: InterVarsity Press, 1997), 55.

do a situação for desesperadora e parecer que até Deus está contra você, não desista, mas confie em seu bom plano. Como fez Rute, creia serem verdadeiras as palavras do profeta: "O Senhor é bom, é fortaleza no dia da angústia e conhece os que nele se refugiam" (Na 1.7).

No início deste capítulo, compartilhei uma parte da história de Rose Thurgood, uma mulher cristã do Século XVII. Quando a família de Rose adoeceu, ela desesperou da própria vida. Mas em seu tempo de tribulação, Deus a lembrou de que ele estava com ela. Na sua autobiografia, Thurgood escreve: "Senti um doce fulgor vindo sobre o meu coração, e, de repente, estas palavras foram pronunciadas em meu coração: Teu nome está escrito no livro da vida".[22]

O nome de Rute está escrito no mesmo lugar, e assim também está o seu nome, pela graça que Deus tem para você em Jesus Cristo. As melhores histórias chegam cheias de problemas que começam nos primeiros capítulos e só pioram antes de melhorar. Mas tudo está bem quando acaba bem. Portanto, quando vierem as aflições, vá com Jesus, permaneça com Jesus, continue com ele até a vida eterna.

---

22 Thurgood, "A Lecture of Repentance," citado por Drury, *Music at Midnight*, 16.

4

TU ÉS O HOMEM.

A MORTAL TENTAÇÃO DE DAVI
(2 SAMUEL 11:1-5; 12:1-15)

Era primavera — a estação do ano em que os reis saem para a batalha — e Davi estava em apuros. Problemas reais. No fim da tarde, enquanto ele caminhava pelo terraço de seu palácio em Jerusalém, seu olho pairou por acaso sobre a forma de uma bela mulher. Naquele momento, ele não pretendia cometer um pecado escandaloso. Mas estava prestes a ceder a uma tentação passional que traria sofrimento a toda sua casa.

INTOCÁVEL

Se você tivesse assistido à subida de Davi ao poder, nunca esperaria que ele se tornasse assassino ou adúltero. Ele era o tipo de homem com quem as mães desejavam que suas filhas se casassem e que os pais gostariam de ter como filho. Davi foi chamado por Deus. Quando era ainda rapaz, o profeta Samuel

QUANDO OS PROBLEMAS APARECEM

visitou a casa de Davi — um encontro divino. Os seus irmãos mais velhos pareciam mais impressionantes, mas o Senhor olha o coração, e, de acordo com o plano divino, o filho caçula foi o escolhido. Assim, Samuel ungiu Davi como rei de Israel.

Davi foi fortalecido pela fé. Quando Golias desafiou os exércitos de Israel e zombou do nome do Deus vivo, Davi foi ao seu encontro na batalha. Armado apenas com um estilingue e algumas pedras, o rapaz mirou mortalmente o poderoso gigante e o matou. A sua vitória não veio por força ou habilidade superior, mas por confiança absoluta no poder de Deus. Antes de entrar na luta, Davi disse: "O Senhor me livrou das garras do leão e das do urso; ele me livrará das mãos deste filisteu. Então, disse Saul a Davi: Vai-te, e o Senhor seja contigo" (1Sm 17.37).

Davi foi paciente e esperou. Nos longos anos entre ser ungido e coroado — enquanto Saul estava no trono e Davi não — ele não reivindicou o reino para si, mas esperou que Deus o entregasse em suas mãos. Mesmo quando Saul tentou matá-lo, Davi não revidou, mas confiou que Deus o colocaria no trono quando fosse o tempo certo.

Era fácil amar Davi. O nome dele significa "Amado". O rei Saul o amava, pelo menos no começo. Jônatas, filho de Saul, também o amava, mesmo que isso lhe tivesse custado o reino de seu pai. Mical, irmã de Jônatas, também amava Davi. Na verdade, ela foi a primeira e talvez a única mulher da Bíblia da qual é dito, com muitas palavras, que amava um homem (1Sm 18.20). Os soldados amavam tanto Davi que arriscaram a vida por ele. O povo de Israel amava Davi e cantava seus louvores. Mais importante, o Senhor amava Davi, pois a Bíblia o chama de "um homem segundo o [coração de Deus]" (1Sm 13.14 NVI).

A mortal tentação de Davi

Davi era exuberante com o louvor. O rei era poeta — o doce cantor de Israel. Suas baladas líricas tornaram-se os cânticos que as pessoas cantavam quando adoravam a Deus no seu santo templo. "O Senhor é o meu pastor; nada me faltará", escreveu Davi (Sl 23.1); "Bendirei o Senhor em todo o tempo, o seu louvor estará sempre nos meus lábios" (Sl 34.1); "Louvar-te-ei, Senhor, de todo o meu coração; contarei todas as tuas maravilhas" (Sl 9.1) e "Eu, porém, renderei graças ao Senhor, segundo a sua justiça, e cantarei louvores ao nome do Senhor Altíssimo" (Sl 7.17).

Certamente um homem como Davi estava seguro de qualquer perigo! Havia outra pessoa que tivesse louvado mais a Deus ou expressado maior confiança em seu poder de salvação? Se Davi tivesse continuado a andar com Deus, teria sido ainda mais abençoado. Teria se tornado rei de um reino eterno. No entanto, Davi estava em sérios apuros. Um homem pode ser chamado por Deus, amado por Deus, e, ainda assim, sofrer repentinos ataques. Um homem pode confiar em Deus, esperar em Deus, lutar por Deus, cantar louvores a Deus e ainda ceder a uma tentação mortal. Se isso aconteceu a alguém tão intocável quanto Davi, pode acontecer a qualquer um.

Os cristãos de hoje são tão abençoados como foi Davi, se não mais. Somos amados por Deus, nosso Pai. Temos o dom da fé pela obra do Espírito Santo. Fomos chamados por Jesus Cristo para o serviço do seu reino. Reunimo-nos com frequência para adorar junto ao povo de Deus. Seria fácil presumir, portanto, que estamos totalmente seguros.

No entanto, não estamos seguros — estamos em perigo constante. As Escrituras dizem: "Aquele, pois, que pensa estar em pé veja que não caia" (1Co 10.12). Nosso inimigo procura constantemente nos destruir, e, quando achamos estar totalmente seguros, esse poderá ser o tempo de maior perigo.

Que tentação você enfrentará hoje? Somos todos tentados. Como disse certa vez Thomas Kempis: "Não existe nenhum homem totalmente livre de tentações enquanto vive sobre a terra, pois a raiz da tentação está dentro de nós mesmos".[23] A questão é: estamos prontos para enfrentar a tentação, ou estamos com tantos problemas quanto Davi no fim de uma tarde quando resolveu caminhar pelo terraço de seu palácio real?

UMA OMISSÃO REAL

Antes de vermos o que Davi fez de errado e o que aconteceu depois, devemos perceber o que Davi *não* fez. Às vezes, quando estamos lutando com um determinado pecado, focamos *não* fazer determinada coisa: por exemplo, não comer exageradamente alguma comida, ou não criticar as pessoas que achamos difíceis de amar, ou não ceder a algum prazer impuro. E, é claro, existe um lugar para não se fazer as coisas que desagradam a Deus. Afinal, a Bíblia diz, em certas ocasiões, "Não farás...".

Porém, o que primeiramente deixou Davi em apuro não foi algo que ele fez, foi algo que ele *não* fez: "Decorrido um ano, no tempo em que os reis costumam sair para a guerra, enviou Davi a Joabe, e seus servos, com ele, e a todo o Israel" (2Sm. 11:1a). A Bíblia nunca desperdiça os detalhes, e esses detalhes particularmente são uma condenação. Os reis deviam sair para a batalha. Ao se retirar para o seu palácio, Davi estava falhando em cumprir seu dever real. Tinha parado de servir

---

23 Thomas Kempis, *A Imitação de Cristo* (São Paulo: Shedd Publicações, 2001).

ou sacrificar sua vida em favor do próximo. O fato de estar sentado em seu sofá no começo dessa história diz tudo. Mas, caso haja dúvida quanto a isso, a Bíblia ainda reafirma: "porém Davi ficou em Jerusalém" (v. 1b). A repetição é para enfatizar. O rei deveria ter liderado as tropas na batalha; ao invés disso, ele os enviou para o caminho do perigo.

Aparentemente, o sucesso de Davi o fez preguiçoso. Ele tinha um senso de merecimento. Queria desfrutar de seus luxos, e, assim, não podia ser incomodado pelo trabalho duro de defender seu reino. Seria realmente surpresa que a autoindulgência de Davi o levasse a uma transgressão maior?

Devemos ser cuidadosos em não perder a oportunidade de examinar nossas próprias vidas: O que eu *não* estou fazendo que deveria fazer, e como essa falha me conduz a fazer coisas que nunca planejei nem nunca quis fazer? Algumas dessas coisas que as pessoas não fazem são muito familiares, e, por isso, fáceis de serem ignoradas. Mas se não as estivermos fazendo, então já estaremos em maiores apuros do que percebemos.

Eis algumas perguntas sobre o que estamos — e não estamos — fazendo: *Já conversei com Deus hoje, ou a oração é uma dessas coisas que não faço com tanta frequência quanto deveria?* Jesus disse a seus discípulos para vigiar e orar a fim de que não caíssem em tentação (Mt 26.41). Se falhamos em vigiar e orar, como podemos esperar não entrar no tipo de problema que Davi teve? Um velho puritano orou sabiamente:

> Ensina-me a crer que, se eu quiser subjugar qualquer pecado, eu deverei não somente labutar para vencê-lo, como também convidar Cristo a habitar em seu lugar, e Cristo tem

> que ser mais para mim do que esse vil anseio tem sido; que a sua doçura, seu poder e sua vida possam estar presentes.[24]

Eis outra pergunta simples: *Estou me alimentando da Palavra de Deus?* Uso a palavra *alimentando* porque precisamos fazer mais do que simplesmente ler nossa Bíblia. Precisamos retirar alimento diário das Escrituras, para que nos lembremos das promessas de Deus e saibamos o que ele nos está chamando para fazer neste mundo.

Ou considere esta pergunta: *Estou envolvido ativamente no culto de adoração a Deus, especificamente na vida de uma igreja local?* O Espírito Santo nos chama a estar presentes no culto — não apenas ocupando espaço, mas entregando mente, coração e alma para a honra e majestade de nosso Salvador.

Também temos um trabalho a fazer. Deus deu a cada um de nós um chamado maior na vida. *Estou dedicando o meu melhor para ele? Ou tem outra coisa empatando o caminho — a mídia social, talvez, ou um hobby que consuma mais o meu tempo do que deveria?* Se deixarmos que coisas permissíveis impeçam aquilo que é vital, acabaremos como o rei Davi: entrando em apuros porque não estamos fazendo o que deveríamos no tempo e no local em que nos era esperado fazer.

O QUE DAVI FEZ

Entenda que o pecado sexual nunca diz respeito apenas ao sexo; está sempre ligado ao resto da vida. Se Davi estivesse vivendo em favor do próximo em vez de viver para si mesmo — se ele tivesse vivendo de maneira sacrificial em vez de forma

---

24 "Contentment," in *The Valley of Vision: A Collection of Puritan Prayers and Devotions*, ed. Arthur Bennett (Edinburgh: Banner of Truth, 2002), 295.

egoísta — talvez ele tivesse mantido seus desejos sujeitos ao poder do amor. Mas não era assim que Davi estava vivendo.

Ele teve um vislumbre de uma bela mulher. Se fosse apenas isso o que tivesse feito, ainda não seria culpado de nenhum pecado. Mas Davi fez mais que apenas vislumbrar. Seu olhar se tornou fixo. Ele a olhou de cima a baixo, pensando no que gostaria de fazer com ela sexualmente.

A partir desse ponto, a história se desdobra como uma repetição em câmara lenta de um acidente de trem. Já vimos o filme antes e quase não suportamos ver de novo, mas assistimos assim mesmo, esperando ver um final diferente. Mas, claro, acontece do mesmo jeito toda vez. Se Davi tivesse apenas desviado o olhar!

Na anatomia da tentação, o olho é a janela do coração. Portanto, o único jeito de obter vitória sobre o pecado sexual é desviando nosso olhar lascivo. Homens e mulheres piedosos sempre compreenderam que essa vitória requer modéstia no modo de se vestir, na maneira de falar e na escolha de para onde olhar. O apóstolo Pedro sabiamente advertiu contra os "olhos cheios de adultério" (2Pe 2.14). O remédio de Jó para viver sem lascívia era uma promessa proativa: "fiz aliança com os meus olhos; como, pois, os fixaria eu numa donzela?" (Jó 31.1).

Ter cuidado com o que vemos nunca foi tão importante quanto hoje em dia, quando existem imagens sexuais em todo lado. Os americanos vivem em uma "pornotopia", em que a pornografia tornou-se algo normal. A pornografia coloca todos em perigo. Denigre mulheres e homens, prejudica relacionamentos e destrói nossa capacidade espiritual de liderar. O puritano Thomas Watson disse corretamente que imagens sexuais "transmitem secretamente veneno ao coração".[25] A pornografia afeta o cérebro de modo dramático, conforme Bill Struthers documentou em seu livro *Wired for Intimacy*.[26] A pessoa que sucumbe à pornografia deteriora espiritualmente. Ceder à tentação sexual produz o que John Freeman chamou aptamente de "coração pornificado" — um coração não mais disposto para Deus ou para o próximo. Escrevendo especificamente a homens, Freeman adverte:

> "Nossos pecados sexuais não somente amortecem nossos corações, como também nos impedem de ser *quem e o que* devemos ser como homens, maridos e pais. Devido a anos de tentações sexuais e pecados não abandonados, nossos corações negligenciados roubarão alguma coisa de todos aqueles que estão em nossa vida!"[27]

Para ver quão mortal é a lascívia, basta olhar o que aconteceu a Davi. Quanto mais ele olhava para uma mulher, mais ele a desejava. O pecado passou a ter o controle e, à medida que Davi cedia a suas fantasias, sentiu-se incapaz de voltar atrás. Em vez de fugir da tentação — como fez José, quando a linda mulher de Potifar o agarrou e desejou fazer sexo com ele (Gn 39.12) — Davi começou a fazer o que a Bíblia diz para *não* fazermos: "premeditar como satisfazer os desejos da natureza pecaminosa" (Rm 13.14 NVI).

---

25 Thomas Watson, *The Ten Commandments* (1692; repr., Edinburgh: Banner of Truth, 1965), 160.
26 Bill Struthers, *Wired for Intimacy: How Pornography Hijacks the Male Brain* (Downers Grove, IL: InterVarsity Press, 2009).
27 John Freeman, "Living in the Shadows: Life as a Game-Player," Harvest USA, http://www.harvestusa.org/living-shadows-life-game-player/#.VcjIrE3bLcg, acessado em 30 de Setembro de 2014.

A mortal tentação de Davi

Davi não precisava fazer isso. De fato, a Bíblia nos dá esta maravilhosa promessa: "Não vos sobreveio tentação que não fosse humana; mas Deus é fiel e não permitirá que sejais tentados além das vossas forças; pelo contrário, juntamente com a tentação, vos proverá livramento, de sorte que a possais suportar" (1Co 10.13). Se duvidamos dessa promessa, provavelmente é porque, na verdade, nunca a testamos. Geralmente, cedemos cedo demais à tentação, falhando em encontrar a estratégia de saída que Deus tem para nós. Mas um caminho de escape está sempre ali. Deus tem uma promessa que devemos reivindicar, um amigo a quem chamar e um Espírito Santo vivo que vem nos socorrer quando oramos. Da próxima vez que você for tentado a cometer aquele pecado que teima em arrastá-lo, tente fazer isso. Ore em voz alta: "Senhor Jesus, estou tentado a cometer esse pecado contra ti. Mostra-me como sair dessa!"

Quando oramos dessa forma, nossas orações serão respondidas. Freeman nota que a verdadeira mudança espiritual "não é medida pelo que paramos de fazer. É medida sempre pela mudança do caráter". E em relação à santificação sexual, as mudanças serão dramáticas:

> "Enquanto sua preocupação anterior consigo mesmo roubava os outros, agora você começa a se interessar mais pelo próximo do que por você mesmo. Você se vê mais desejoso de abençoar o próximo, querendo o bem dele e não apenas o seu próprio. Você não esconde mais o que está fazendo; em vez disso, compartilha cada vez mais com o outro sobre suas lutas e defeitos."[28]

---

28 Ibid.

QUANDO OS PROBLEMAS APARECEM

De forma triste, em vez de buscar o livramento de Deus e viver com maior abertura, o rei Davi começou a brincar com o pecado. Isto é a lascívia: olhar para um homem ou para uma mulher e imaginar as possibilidades sexuais. Neste caso, "era ela mui formosa. Davi mandou perguntar quem era. Disseram-lhe: É Bate-Seba, filha de Eliã e mulher de Urias, o heteu" (2Sm 11.3). Obviamente, o caso deveria ter acabado ali. "Essa identificação dupla," escreve David Wolpe, "reforça quanto ela não poderia pertencer a Davi. Era uma mulher com marido e com pai. Estava sob o cuidado e a proteção de outras pessoas. Tire as mãos."[29]

Pensar mais em Bate-Seba estaria fora de cogitação para qualquer homem de Deus, mas Davi a queria para si. É assim que a lascívia trabalha. Assume vida própria, arrastando-nos cada vez mais para o fundo, até que nos sintamos sem forças para resistir. Como Davi era o rei, ele podia fazer o que a maioria dos homens só consegue sonhar. Se quizesse uma mulher, podia tê-la e, assim, mandou buscar Bate-Seba: "Então, enviou Davi mensageiros que a trouxessem; ela veio, e ele se deitou com ela" (v. 4).

Parecia uma coisa tão pequena — só um momento de fraqueza, nada mais. Mas logo Bate-Seba descobriu que estava grávida, e começaram os disfarces. Uma coisa levou a outra, e, no momento em que Davi convocou o nobre Urias de volta a Jerusalém, embebedando-o e enviando-o de volta ao exército com ordens que eram uma sentença de morte, aquilo se tornou mais que um escândalo sexual. O marido de Bate-Seba estava morto e Davi se tornara um criminoso. Era culpado de

---

[29] David Wolpe, David: *The Divided Heart*, Jewish Lives (New Haven, CT: Yale University Press, 2014), 77.

adultério, engano, furto e assassinato: o que fizeram para encobrir foi bem pior que o próprio crime.

Por um tempo, parecia que Davi se livraria da acusação de assassinato. Um comentarista o imagina sentindo "aquele sentimento levemente desconcertante, mas empolgante de um homem que pecou e conseguiu se safar".[30] A maioria de nós conhece esse sentimento. Com certeza, o rei teve de mexer um pouco os pauzinhos para fazer acontecer, mas tudo aconteceu de acordo com seu plano. Com exceção disto: "Porém isto que Davi fizera foi mau aos olhos do Senhor" (v. 27).

Se estivermos tentando encobrir um pecado, não devemos pensar que Deus não sabe o que fizemos. É inútil esconder qualquer pecado à vista de um Deus que tudo sabe. Se tivermos feito algo que lhe desagrade, podemos ter certeza de que ele tudo sabe. Salomão declarou explicitamente este princípio no contexto do pecado sexual: "Por que, filho meu, andarias cego pela estranha e abraçarias o peito de outra? Porque os caminhos do homem estão perante os olhos do Senhor, e ele considera todas as suas veredas" (Pv 5.20–21).

A CONFISSÃO DE DAVI

O que Davi deveria ter feito? Assim que vieram os problemas, na forma de uma tentação mortal, ele cedeu imediatamente, o que fez com que tivesse problemas ainda maiores. Lá no fundo, com certeza ele sabia disso. Parecia não haver saída. Então o que ele deveria ter feito?

Se houvesse alguém que sabia o que fazer em tempos de tribulação, esse era Davi, que estivera em sérios apuros muitas

---
30 Ibid., 80.

vezes antes disso. Sempre que se via com problemas, Davi sabia o que fazer: orar pedindo a Deus que o livrasse. Vemos isso repetidamente nos Salmos. "Não te distancies de mim, porque a tribulação está próxima, e não há quem me acuda" (Sl 22.11); "Alivia-me as tribulações do coração; tira-me das minhas angústias." (25.17). No entanto, dessa vez, nada ouvimos desse homem — nada, isto é, até que Deus tivesse misericórdia dele e lhe enviasse um verdadeiro amigo espiritual.

Graças a Deus, Davi tinha em sua vida alguém que se importava bastante a ponto de confrontá-lo. Hoje vivemos numa cultura que acredita que o amor significa nunca dizer a ninguém que ela ou ele está errado. Mas não era nisso que o profeta Natã acreditava. Ele amava o rei Davi a ponto de lhe dizer que era pecador.

Foi também inteligente o jeito que Natã fez. Foi uma espécie de judô espiritual. O profeta usou o peso da opinião do próprio Davi contra ele e persuadiu o rei a fazer um julgamento antes de conhecer a identidade do acusado. Natã fez isso contando uma parábola sobre injustiça, em que um homem rico roubou a única ovelha de um homem pobre e a serviu para o jantar. De alguma forma, a história reorientou a bússola moral de Davi. Ela penetrou as suas defesas e cativou sua consciência. Como um rei justo, estava pronto a imediatamente condenar o rico à morte. A indignação de Davi provou ser a estratégia perfeita para a linha de assinatura de Natã: "Tu és o homem" (2Sm 12.7).

O profeta delineou então as transgressões de Davi em dolorosos detalhes. Deus havia ungido Davi rei. Havia salvado sua vida de seus inimigos e estabelecido o seu reinado. Havia dado a ele casas e terras, com mulheres de sobra. Mas Davi dormiu com a mulher de outro homem, e matou esse bom homem a sangue frio. Fazendo isso, "deu motivo a que blasfemassem os inimigos do Senhor" (v. 14), e, como resultado, sua casa se tornaria um lugar de brigas e escândalos.

Davi estava em desgraça, mas fez uma coisa certa — a única coisa certa em toda essa história — ele confessou seu pecado. "Você está certo, Natã", disse ele. "Eu sou o homem." Ou, como diz a Bíblia: "Pequei contra o Senhor" (v. 13).

Obtemos a confissão completa de Davi no Salmo 51 — um cântico de dolorosa beleza. Davi não deu mais desculpas. Parou de fingir que Deus não sabia o que ele fizera. Viu o seu pecado como realmente era, e foi homem suficiente para admiti-lo:

> Compadece-te de mim, ó Deus, segundo a tua benignidade;
> e, segundo a multidão das tuas misericórdias,
> apaga as minhas transgressões.
> Lava-me completamente da minha iniquidade
> e purifica-me do meu pecado.
> Pois eu conheço as minhas transgressões,
> e o meu pecado está sempre diante de mim.
> Pequei contra ti, contra ti somente,
> e fiz o que é mau perante os teus olhos,
> de maneira que serás tido por justo no teu falar
> e puro no teu julgar (Sl 51.1–4).

Deus sempre tem misericórdia das pessoas que confessam seus pecados. Assim, Deus tirou o pecado de Davi (veja 2Sm 12.13). Renovou a esperança de Davi. Restaurou a sua fé. Criou nele um coração puro e renovou o seu espírito.

QUANDO OS PROBLEMAS APARECEM

De fato, quando Davi chegou ao fim do Salmo 51, ele estava pronto para liderar o povo de Deus em adoração. "Abre, Senhor, os meus lábios, e a minha boca manifestará os teus louvores" (Sl. 51.15).

Mais que qualquer um na Bíblia, o rei Davi declarou que Deus livra as pessoas que estão atribuladas. "Vem do Senhor a salvação dos justos; ele é a sua fortaleza no dia da tribulação" (Sl 37.39). Algumas pessoas acham difícil crer nessa promessa porque algum pecado específico parece dominar sua vida. Mas qualquer que sinta sem poder está, na verdade, no lugar perfeito para ver Deus fazer algo que nunca aconteceria de outro jeito. As nossas próprias tentativas de gerenciar o pecado estão fadadas ao fracasso. Somente o poder de Deus pode fazê-lo. Em seu livro *Addiction and Grace (Vícios e Graça)*, Gerald May escreve:

> Ironicamente, a liberdade se torna mais pura quando nossos vícios nos confundem e derrotam de tal forma que sentimos como se não tivéssemos mais escolha. É aqui, onde nos sentimos absolutamente impotentes, que temos o poder mais real. Nada nos sobra que nos force a escolher uma forma ou outra. Nossa escolha, então, se torna um verdadeiro ato de fé. Podemos colocar nossa fé em nós mesmos, naquilo em que estamos apegados, ou em Deus.[31]

Ponha sua fé em Deus e você encontrará a verdadeira liberdade. Quando pecar, não se afaste da cruz; corra para ela. Ali você encontrará um Salvador que nunca pecou — nem uma só

---

31 Gerald G. May, *Addiction and Grace* (San Francisco: Harper & Row 1988), 3-4.

vez. Não que não tivesse sido tentado. A Bíblia diz que Jesus em tudo foi tentado (Hb 4.15), o que presumivelmente inclui as tentações que Davi enfrentou: lascívia, adultério, falsidade, assassinato e todos os outros pecados mortais. Com a ajuda do Espírito, Jesus encontrou escape para todos esses perigos, e, como resultado, a sua morte na cruz foi um sacrifício perfeito.

Agora, o Senhor Jesus crucificado e ressureto nos oferece perdão e liberdade. Muitas coisas podem nos ajudar na luta contra o pecado. Promessas das Escrituras, parceiros de prestação de contas, grupos de recuperação de viciados e o sacramento da ceia do Senhor, todos têm o seu lugar. Mas a coisa principal que nos ajuda é o arrependimento com fé, em que confessamos abertamente nosso pecado para então nos agarrar à cruz, crendo na misericórdia de Jesus. O que traz mudança espiritual é o evangelho, e todo o que crê no evangelho recebe a mesma bênção que o rei Davi outrora pronunciou: "O Senhor te responda no dia da tribulação; o nome do Deus de Jacó te eleve em segurança" (Sl 20.1).

5

MALDITO O DIA EM QUE NASCI!

A PERSEGUIÇÃO DESANIMADORA DE JEREMIAS (JEREMIAS 20.1–18)

Foi na porta superior de Benjamim do templo em Jerusalém, e o profeta Jeremias estava em sérios apuros. Problemas de verdade. Na noite anterior, ele havia sido encarcerado. Um homem de nome Pasur — chefe de segurança do templo e chefe da "polícia de profecia" de Israel — havia rejeitado a mensagem de juízo de Jeremias contra Jerusalém. Assim, ele capturou, açoitou e amarrou o profeta.

No dia seguinte, Pasur teve uma mudança de atitude e removeu os ferrolhos de Jeremias. Uma vez solto, o profeta pronunciou palavras de juízo divino contra o seu atormentador. Conforme a palavra de Deus que veio a Jeremias, os amigos de Pasur cairiam pela espada ou morreriam no cativeiro (Jr 20.4). As suas mentiras seriam expostas e seus crimes receberiam paga de morte (v. 6). Jeremias teve ainda a deliciosa satisfação de dar a Pasur um apelido que certamente "pegaria". Pasur significa "Frutífero de todo lado", mas Jeremias o chamou de "Magor-Missabibe" (v. 3 NVI), que significa "Terror-Por-Todos-Os-Lados" (ARA).

NOITE ESCURA DA ALMA

Essa não é toda a história, porque ela não conta o que passou pela cabeça de Jeremias durante sua longa noite na cadeia. Para isso, precisamos ler o solilóquio dado pelo profeta em Jeremias 20.7-18, durante a noite escura de sua alma. Jeremias começa lamentando tudo que estava dando errado em sua vida, o que levou algum tempo:

Senhor, tu me enganaste, e eu fui enganado; Ou *persuadiste, e eu fui persuadido*; foste mais forte do que eu e prevaleceste. Sou ridicularizado o dia inteiro; todos zombam de mim. Sempre que falo é para gritar que há violência e destruição. Por isso a palavra do Senhor trouxe-me insulto e censura o tempo todo. Mas, se eu digo: "Não o mencionarei nem mais falarei em seu nome", é como se um fogo ardesse em meu coração, um fogo dentro de mim. Estou exausto tentando contê-lo; já não posso mais! Ouço muitos comentando: "Terror por todos os lados! Denunciem-no! Vamos denunciá-lo!" Todos os meus amigos estão esperando que eu tropece, e dizem: "Talvez ele se deixe enganar; então nós o venceremos e nos vingaremos dele" (vv. 7-10).

Então o sentimento de Jeremias muda inesperadamente, quando ele põe em Deus sua confiança e diz:

Mas o Senhor está comigo, como um forte guerreiro! Portanto, aqueles que me perseguem tropeçarão e não prevalecerão [...] Cantem ao Senhor! Louvem o Senhor! Porque ele salva o pobre das mãos dos ímpios (vv. 11, 13).

A perseguição desanimadora de Jeremias

Vem então a surpresa final, em que Jeremias emite algumas das mais amargas maldições da Bíblia antes de terminar com uma pergunta perturbadora:

> Maldito seja o dia em que eu nasci! Jamais seja abençoado o dia em que minha mãe me deu à luz! [...] Por que saí do ventre materno? Só para ver dificuldades e tristezas, e terminar os meus dias na maior decepção? (vv. 14, 18).

A escritora Kathleen Norris ouviu essas palavras de Jeremias pela primeira vez quando estava na Abadia St. John's em Minnesota. Norris viveu com os monges de St. John's por um ano e meio. Durante a sua estada, ela descobriu que uma importante parte da vida monástica é a leitura contínua de livros inteiros da Bíblia, seção por seção, durante a oração matinal e vespertina. Ela escreve:

> A experiência mais notável de todas foi mergulhar no livro do profeta Jeremias durante a oração matutina um ano no final de setembro, e permanecer nele até meados de novembro. Começamos com o capítulo primeiro e prosseguimos lendo [...]. Ouvir Jeremias é um jeito infernal de fazer o sangue correr pela manhã; põe a cafeína no chinelo.[32]

Norris passa a explicar como os sofrimentos de Jeremias tornaram-se a agonia de sua própria alma:

> Abrir-se para um profeta tão angustiado quanto Jeremias é uma experiência dolorosa. Algumas manhãs, eu achava

---
32 Kathleen Norris, *The Cloister Walk* (New York: Riverhead, 1996), 31.

QUANDO OS PROBLEMAS APARECEM

> impossível [...]. A voz de Jeremias nos compele frequentemente em um nível esmagadoramente pessoal. Certa manhã, eu estava tão exaurida pela montanha russa emotiva do capítulo vinte que, depois das orações, voltei ao meu apartamento e entrei na cama. Este solilóquio passional, que começa com uma amarga explosão sobre a natureza do chamado do profeta, move-se rapidamente para a negação. A ira de Jeremias aumenta com o jeito que seus inimigos o ridicularizam, bem como seu medo e tristeza. A sua declaração de confiança em Deus parece forçada pelas circunstâncias, e uma breve doxologia soa mais irônica, sendo seguida de um lamento amargo. O capítulo conclui com uma pergunta angustiante.[33]

Norris está certa: Jeremias 20 nos dá muitas razões para novamente mergulharmos debaixo dos cobertores. É o ponto baixo do ministério do profeta, em que ele faz as mesmas coisas que nós somos tentados a fazer quando a vida parece ir contra nós: ele culpa a Deus, rejeita seu chamado e amaldiçoa o dia em que nasceu.

LEVE SEUS PROBLEMAS A DEUS EM ORAÇÃO

As palavras de Jeremias nos ensinam pelo menos três valiosas lições sobre o que fazer quando os problemas aparecem. A primeira pode ser a mais importante: *Leve seus problemas ao Senhor em oração.*

Jeremias teve muitas boas razões para ficar desanimado. Para começar, ele corria perigo. Os sacerdotes estavam se aglomerando nos cantos do templo. Jeremias podia ouvir seus

---

33 Ibid., 31–35

sussurros malvados e ver seus dedos ossudos apontando em sua direção. Para ser sincero, as pessoas estavam enjoadas e cansadas de ouvir sua mensagem de juízo (veja v. 8). Até mesmo os chamados amigos ficaram aguardando ele dar um passo em falso para pular sobre ele. Ele já havia sido agredido e encarcerado. O que mais fariam a ele?

O profeta também estava desanimado porque as pessoas zombavam dele: "Sirvo de escárnio todo o dia; cada um deles zomba de mim." (v. 7). Os comediantes de Jerusalém obtinham algumas de suas mais engraçadas matérias à custa de Jeremias. Embora o problema real deles fosse com sua mensagem, eles começaram a zombar do mensageiro: "Lá vai aquele velho profeta doido. Soube o que ele fez ontem? Pegou um vaso de barro novinho em folha e o esmiuçou fora dos muros da cidade. Esse cara precisa de uma camisa de força. Fica falando sobre inimigos que vêm destruir a nossa cidade".

O abuso verbal pode não parecer muito sério comparado a uma surra cruel, mas a zombaria acaba cobrando juros. Um insulto foi especialmente maldoso. Eles chamavam Jeremias de *Magor-Missabibe* ou "Terror-Por-Todos-Os-Lados" (v. 10). Noutras palavras, eles tomaram a repreensão que Jeremias fizera a Pasur e usaram-na contra ele.

Jeremias foi desprezado e rejeitado. Os seus amigos o haviam traído, inclusive, ao que parecia, seu amigo mais chegado de todos. "Persuadiste-me, ó Senhor, e persuadido fiquei; mais forte foste do que eu, e prevaleceste; sirvo de escárnio todo o dia" (v. 7). Aparentemente, Jeremias começava a duvidar se a Palavra de Deus realmente era verdadeira. Deus havia compelido Jeremias a profetizar, portanto, ele profetizou – mas onde estava o julgamento que Deus havia prometido? Realmente, era culpa de Deus o que Jeremias estava sofrendo; o profeta simplesmente disse o que Deus o mandara dizer. Quanto mais Deus demorava a cumprir sua promessa, mais Jeremias questionava se ele havia se tornado um falso profeta. Quem sabe o Senhor o havia enganado.

Isso já lhe aconteceu quando estava desanimado? A vida é tão dura que, às vezes, começamos a perguntar se tudo o que ouvimos sobre Deus e seu evangelho é realmente verdade. Quem sabe o tempo todo fomos enganados.

A única coisa que Jeremias conseguia pensar quanto às suas dúvidas e aos seus problemas era em levá-los ao Senhor em oração. O capítulo 20 é a oração de um crente sofredor. Imagine Jeremias na solitária, enfraquecido pela dor física e exaurido pelo turbilhão emocional. Ainda assim, as primeiras palavras de sua boca são uma invocação ao Deus Todo-Poderoso. "Ó Senhor", ele exclama. "Ó Senhor!"

Deus nos convida a levar nossos problemas diretamente a ele. É o que pessoas piedosas têm feito através da história. Foi o que Jó fez sobre o monturo de cinzas, quando sofria luto pela morte de sua família (Jó 3). Foi o que Davi fez na caverna, quando se escondia do Rei Saul (Salmo 57). Foi o que Jonas fez na barriga da baleia, quando tentou fugir de Deus (Jonas 2). Foi até mesmo o que Jesus fez na cruz, quando sofria por nossos pecados. "Deus meu, Deus meu", disse ele (Mt 27.46).

Portanto, sempre que você estiver em tribulação, leve seus problemas a um lugar secreto onde pode se encontrar com Deus em oração. Onde mais poderá abrir seu coração com tanta liberdade? Quem mais poderá consolá-lo com tamanha ternura? Não há porque esconder os seus problemas. Leve-os ao Senhor em oração!

CHAMADO A ADORAR

Enquanto o profeta orava, seu coração se encheu de coragem. O Espírito Santo estava ministrando à sua alma. E assim, de repente e inesperadamente, ele interrompe sua queixa para prestar um pequeno culto de adoração. Sim, ele estava sozinho e com medo, desanimado e desencorajado. No entanto, em Jeremias 20.11-13, ele ofereceu um salmo de louvor ao seu Deus. Isso nos ensina uma segunda lição: *Mesmo quando estamos em sérios sofrimentos, Deus merece nosso louvor.*

O culto de adoração de Jeremias pode ter sido curto, mas foi completo. O seu salmo incluiu uma confissão de fé, uma oração por livramento e um hino de louvor. A confissão de fé do profeta foi assim:

> Mas o Senhor está comigo como um poderoso guerreiro; por isso, tropeçarão os meus perseguidores e não prevalecerão; serão sobremodo envergonhados; e, porque não se houveram sabiamente, sofrerão afronta perpétua, que jamais se esquecerá (v. 11).

Jeremias realmente não entendeu o que estava acontecendo com ele. Até Deus parecia estar contra ele. Mas ele testificou o que conhecia como sendo verdade quanto ao caráter de seu Salvador. Em seus comentários que fez sobre esses versículos, João Calvino escreveu:

> "Aqui o Profeta contrasta a ajuda de Deus a todas as maquinações forjadas contra ele. Embora os amigos pérfidos tenham tentado, por um lado, enganá-lo em particular, e, por outro lado, inimigos declarados se lhe opusessem pu-

QUANDO OS PROBLEMAS APARECEM

blicamente, Jeremias não duvidou que Deus seria sua proteção suficiente".[34]

Jeremias creu que Deus estava com ele mesmo quando parecia estar longe. Ele sabia que o Senhor era forte, ainda que pessoalmente se sentisse desprovido de poder. Ele esperava que os ímpios fossem derrotados mesmo que parecessem triunfar. Assim, com ousadia, o profeta confessou que Deus seria a sua salvação.

Qual é a sua confissão de fé — não apenas o credo que você recita na igreja, mas a confiança em que você vive todos os dias? Em meio a todas as suas provações e todos os problemas de um mundo caído, você é capaz de dizer que Deus está com você como um poderoso guerreiro?

Jeremias cria nisso, e, porque creu, estava pronto a orar pedindo por ajuda: "Tu, pois, ó Senhor dos Exércitos, que provas o justo e esquadrinhas os afetos e o coração, permite veja eu a tua vingança contra eles, pois te confiei a minha causa" (v. 12).

Quando Jeremias estava atribulado, não tomou as coisas em suas próprias mãos. Não tentou resolver seus problemas por conta própria. Em vez disso, entregou sua causa ao Senhor. No caso específico de Jeremias, isso significou orar para que a sua causa fosse vindicada e seus inimigos fossem envergonhados. Os nossos problemas podem ser diferentes, mas o princípio é o mesmo: se cremos que Deus está conosco e tem poder para nos ajudar, devemos pedir-lhe todo o auxílio que somente ele pode nos dar.

Jeremias creu tão firmemente na libertação que Deus daria, que terminou seu tempo de adoração com um hino de louvor.

---

[34] John Calvin, *A Commentary on Jeremiah*, 5 vols. (Edinburgh: Banner of Truth, 1989), 3:38.

De repente, o profeta rompe em cântico: "Cantai ao Senhor, louvai ao Senhor; pois livrou a alma do necessitado das mãos dos malfeitores" (v. 13).

Podemos imaginar Jeremias encurvado sobre os ferrolhos enquanto cantava. Pode ser que não tivesse fôlego para cantar um longo hino, mas pelo menos pôde exprimir um curto cântico de louvor. Ele atravessou suas dúvidas até um lugar de tão forte confiança no Senhor que, durante a noite escura da alma, louvou a Deus. É possível também que Jeremias tenha acrescido essa estrofe à sua canção *após* sua libertação da prisão. De qualquer maneira, observe que o salmo se refere à pessoa necessitada no singular. Literalmente, o Senhor salva a vida do "necessitado" (v. 13) – ou seja, a do próprio profeta.

Como Jeremias, o teólogo alemão Dietrich Bonhoeffer estava preso por amor à Palavra de Deus. Bonhoeffer suportou a noite escura de sua alma em um campo de concentração nazista. Contudo, mesmo ali, ele não parou de louvar a Deus. Em vez disso, orou:

> Em mim há trevas,
> Mas contigo há luz.
> Estou sozinho, mas tu não me abandonas.
> Estou inquieto, mas contigo há paz.
> Em mim existe amargura,
> Mas contigo há paciência;
> Teus caminhos ultrapassam o entendimento,
> mas Tu conheces o caminho para mim.[35]

---

35 Dietrich Bonhoeffer, *Letters and Papers from Prison*, in Robert Davidson, Jeremias, Daily Study Bible, 2 vols. (Philadelphia: Westminster, 1983), 1:165.

QUANDO OS PROBLEMAS APARECEM

É sempre bom louvar ao Senhor, especialmente quando estamos em apuros. O melhor que fazemos quando estamos desanimados e desencorajados é adorar ao Senhor. Continue confessando, continue orando, continue cantando. Mesmo quanto tiver de fazer uma queixa, confesse a sua fé em Deus, ore pedindo livramento e louve o seu nome.

A PERGUNTA FINAL

É tentador parar aqui, com o salmo de louvor de Jeremias, mas não foi assim que a história terminou. A Bíblia tem de ser tomada como ela é, e desta vez termina com uma nota baixa. Quando o último acorde de seu cântico vai se apagando, o profeta nos diz que quer morrer:

> Maldito o dia em que nasci! Não seja bendito o dia em que me deu à luz minha mãe! 15Maldito o homem que deu as novas a meu pai, dizendo: Nasceu-te um filho!, alegrando-o com isso grandemente. 16Seja esse homem como as cidades que o Senhor, sem ter compaixão, destruiu; ouça ele clamor pela manhã e ao meio-dia, alarido. 17Por que não me matou Deus no ventre materno? Por que minha mãe não foi minha sepultura? Ou não permaneceu grávida perpetuamente? (Jr. 20.14 –17).

Em vez de celebrar seu aniversário, Jeremias amaldiçoou o dia em que nasceu. Queria estender a mão para trás na história e amaldiçoar tudo e todos que tinham qualquer coisa a ver com o seu nascimento. De fato, desejou que o homem que trouxe a seu pai as "boas-novas" o tivesse, em vez disso, o estrangulado.

O humor de Jeremias saltou do elogio para a maldição com velocidade vertiginosa. Um versículo é um salmo de alto louvor; o próximo é um lamento de total desespero. Isso levou alguns estudiosos a concluir que o versículo 14 "quase não cabe depois do versículo 13".[36] Eles enxergam o capítulo 20 como uma mistura dos dizeres do profeta. Até mesmo Calvino fica confuso; para ele, parece "impróprio um homem santo passar repentinamente da gratidão a Deus para imprecações, como se tivesse esquecido de si mesmo."[37]

Talvez Jeremias tivesse se esquecido de si mesmo, mas esses versículos na verdade devem estar juntos. Pode ser que não combinem pela lógica, mas quem diz que a vida da alma é sempre lógica? As maldições de Jeremias seguem os seus louvores porque foi assim durante a noite escura de sua alma.

É importante reconhecer a natureza confusa, às vezes esquizofrênica, da vida cristã. Somos simultaneamente santos e pecadores. Ainda que nossos pecados sejam perdoados, continuamos pecando. Além do mais, nossa vida contém uma mistura de dores e prazeres. Em um minuto estamos louvando, e no minuto seguinte amaldiçoamos; um dia nos regozijamos no plano de Deus por nós e no dia seguinte resistimos aos seus propósitos.

As maldições de Jeremias formam um dos mais amargos lamentos da Bíblia. Derek Kidner observa que as palavras do profeta são proferidas para "nos derrubar em cheio". Junto a outros lamentos perturbados provenientes dele e de seus sofredores iguais, essas feridas abertas nas Escrituras permanecem para que não nos esqueçamos de quão agudas são as

---

36 R. E. O. White, *The Indomitable Prophet* (Grand Rapids, MI: Eerdmans, 1992), 162.
37 Calvin, *A Commentary on Jeremiah*, 3:44.

QUANDO OS PROBLEMAS APARECEM

lutas que continuam por todo o tempo e da fragilidade dos melhores vencedores".[38]

Note que Jeremias parou antes de amaldiçoar a Deus, ou seus pais, que eram ambas ofensas capitais em Israel (Lv 20.9; 24.15-16). Ele não estava pensando exatamente em acabar com tudo, mas desejava que nunca tivesse começado. Portanto, fez a seguinte pergunta: "Por que saí do ventre materno tão somente para ver trabalho e tristeza e para que se consumam de vergonha os meus dias?" (v. 18).

Jeremias havia conhecido o sofrimento da perseguição, a tristeza de ver seu povo rejeitar a Palavra de Deus e a vergonha da humilhação pública. Todos esses problemas colocaram um enorme ponto de interrogação sobre a sua existência. Embora o profeta fosse forte na fé, havia tempos em que ele tinha mais perguntas do que respostas. Aqui ele questionava quase tudo: sua criação, sua salvação e sua vocação.[39]

Se pensarmos sobre as perguntas de Jeremias em todo seu contexto bíblico, elas nos ensinam uma lição final: *Embora nossas provações possam colocar um gigantesco ponto de interrogação sobre nossa existência, elas jamais terão a última palavra.*

O capítulo 20 termina com a pergunta que o próprio Jeremias não estava em condições de responder – mas as Escrituras oferecem resposta. Por que Jeremias *saiu* do ventre para ver problemas e sofrimentos?

Deus deu a resposta a Jeremias lá no começo, quando ele o chamou para o ministério. O profeta precisava ser lembrado

---

[38] Derek Kidner, *The Message of Jeremiah: Against Wind and Tide*, The Bible Speaks Today (Downers Grove, IL: InterVarsity Press, 1987), 81.
[39] J. G. McConville, *Judgment and Promise: An Interpretation of the Book of Jeremiah* (Leicester, UK: Apollos, 1993), 73-74.

da primeira coisa que Deus lhe falara: "Antes que eu te formasse no ventre materno, eu te conheci, e, antes que saísses da madre, te consagrei, e te constituí profeta às nações" (1.5).

Jeremias traçou seus problemas desde o ventre de sua mãe. Mas não foi longe o bastante! Deus traçou as suas promessas de ainda mais longe, antes do ventre. Ele tinha um propósito para a vida de Jeremias desde o princípio do tempo. O profeta precisava ser lembrado de que o Senhor o havia separado para a salvação e para o ministério desde a eternidade.

Talvez nós também precisemos de ser lembrados do mesmo. Todo dia nós sofremos. Às vezes, somos ridicularizados por amigos ou membros da família; ou inimigos esperam nos fazer tropeçar. Estamos sobrecarregados pela impiedade que vemos a nosso redor na sociedade e na igreja. Há ocasiões em que indagamos por que nascemos, por que saímos do ventre materno.

É por esta razão: Deus nos separou para a salvação e para o ministério. Antes do começo do tempo, ele planejou nos salvar em Jesus Cristo. A Bíblia diz que Deus "nos escolheu, nele, antes da fundação do mundo, para sermos santos e irrepreensíveis perante ele; e em amor" (Ef 1.4). Deus também nos separou para realizar o seu trabalho no mundo. "Pois somos feitura dele, criados em Cristo Jesus para boas obras, as quais Deus de antemão preparou para que andássemos nelas." (Ef 2.10). Mesmo quando os problemas colocam um gigantesco ponto de interrogação sobre nossa existência, o plano de Deus para nós e a graça por nós em Jesus Cristo sempre terão a última palavra.

Isso não quer dizer que sempre conseguiremos respostas simples e satisfatórias para todas as nossas perguntas a respeito do sofrimento. Em um testemunho sobre sua experiência com uma enfermidade debilitante no ano de 2014, o

QUANDO OS PROBLEMAS APARECEM

diretor da Wheaton College, Stan Jones, ofereceu uma perspectiva útil sobre todas as questões relacionadas ao nosso sofrimento que achamos difíceis ou até mesmo impossíveis de responder. Disse ele:

> Há muito tempo, li um livro sobre sofrimento, em que o autor destacou um ponto ao qual tenho de voltar de tempos em tempos. Ele disse que a maioria de nossas perguntas sobre o porquê do sofrimento são, em última instância, impossíveis de ser respondidas. Parece que Deus não trata muito de responder os porquês, e a maioria de nossas respostas filosóficas para a questão do sofrimento equivalem a diversas formas de tirar Deus da responsabilidade pelo problema do sofrimento. Mas esse autor ressaltou que parece que Deus não tem interesse em ser tirado da responsabilização. Na verdade, a resposta de Deus em Jesus Cristo ao problema do sofrimento não é sair da responsabilidade, e sim ser preso pelo gancho do sofrimento humano junto conosco em nosso sofrimento.[40]

Quando a provação chega e coloca um ponto de interrogação gigante sobre nossa existência, temos de nos lembrar de Jesus e da empatia da cruz.

---

40 Dr. Jones compartilhou esse testemunho com a Mesa Administrativa da Faculdade Wheaton e outros.

6

UMA ESPADA TRASPASSARÁ A TUA PRÓPRIA ALMA.

A ALMA AFLITA DE MARIA
(LUCAS 1.26–38; 2.22–35)

Foi durante o tempo em que estavam noivos — algum tempo depois do noivado e não muito antes do casamento — que Maria se viu em verdadeiros apuros. Problemas de verdade. Encontrava-se em casa, na cidade de Nazaré, cuidando dos seus afazeres, quando de repente um anjo lhe apareceu e disse: "Alegra-te, muito favorecida! O Senhor é contigo" (Lucas 1.28). Pode ser que isso não pareça um problema, mas só para as pessoas que nunca viram um anjo vivo e de verdade. Maria realmente viu um anjo e "perturbou-se muito e pôs-se a pensar no que significaria esta saudação" (v. 29). A pobre moça parecia ter se assustado quase até a morte, porque o anjo olhou para ela e sentiu necessidade de lhe oferecer segurança imediata: "Maria, não temas; porque achaste graça diante de Deus" (v. 30).

QUANDO OS PROBLEMAS APARECEM

O BEBÊ DE MARIA

As palavras do anjo estavam cheias de bênção. Ele chamou Maria pelo nome e lhe dirigiu suas saudações. Disse que Deus estava com ela e que era favorecida. Declarou que ela havia achado graça diante do Senhor. Mas assim mesmo, Maria estava certa em perturbar-se, porque estava prestes a receber um chamado de Deus e, com ele, os inimagináveis sofrimentos que a conturbariam dia após dia, desde o Natal até a Páscoa. Ser divinamente favorecido não quer dizer que Deus o livrará de todos os problemas. Muitas vezes, o problema está apenas começando.

Os problemas de Maria começaram com o que o anjo disse que estava prestes a acontecer:

> Eis que conceberás e darás à luz um filho, a quem chamarás pelo nome de Jesus. Este será grande e será chamado Filho do Altíssimo; Deus, o Senhor, lhe dará o trono de Davi, seu pai; ele reinará para sempre sobre a casa de Jacó, e o seu reinado não terá fim (Lucas 1.31–33).

O anjo juntou muitas promessas nessa curta fala, mas o principal que Maria ouviu foi a parte sobre ter um filho. "Está brincando, não é?", poderia ter dito. Maria nem mesmo terminara de planejar seu casamento, e nunca... você sabe... esteve antes com um homem. Ela sabia bastante sobre os fatos da vida para fazer a pergunta mais óbvia: "Como será isto, pois não tenho relação com homem algum?" (v. 34).

O anjo tinha uma boa resposta — pelo menos para quem crê na Palavra de Deus, no poder do Espírito Santo e no mistério da encarnação. Mas por mais que fosse boa, não era uma resposta fácil. O anjo disse a Maria: "Descerá sobre ti o Espírito Santo, e o poder do Altíssimo te envolverá com a sua sombra; por isso, também o ente santo que há de nascer será chamado Filho de Deus [...] Porque para Deus não haverá impossíveis" (vv. 35, 37).

O anjo explicou como Deus faria, mas não explicou como Maria lidaria com isso. Falando sobre gravidez problemática – essa era a maior! Qualquer que pense que engravidar não foi um problema enorme para uma boa moça como Maria, não morava numa cidade pequena como Nazaré. As pessoas lá sabiam fazer algumas contas de aritimética, começando aos nove meses e contando de forma retroativa. Não demorava muito, eles saberiam que Maria estava mais adiantada do que era para ser, e as pessoas realmente comentariam.

Havia também as dificuldades que Maria teria no próprio nascimento. Como muitos casais daquele tempo, José e Maria foram jogados para lá e para cá pelas poderosas maquinações da geopolítica romana. César declarou um censo, e lá foram eles pagar seus impostos, caminhando a pé, ou talvez andando sobre um burrinho, até Belém. Chegando ali, Maria descobriu que José não fizera reserva em nenhum hotel. Aparentemente, nada de *Trip Advisor*; nada de *Booking.com*. Se viraram com o que tinham e foram dormir em um estábulo. Ali, rompeu a bolsa dágua, e ela deu à luz seu filho primogênito. A nova mãe sabia que Deus havia cumprido sua promessa. Pastores vieram celebrar as boas-novas com grande alegria. Mas nada disso foi fácil.

Poucas semanas mais tarde, o casal feliz foi até Jerusalém dedicar o seu bebê no templo. Não tinham muito a ofertar — apenas um par de pombinhos, o que as pessoas pobres tra-

QUANDO OS PROBLEMAS APARECEM

ziam naqueles dias. Simeão, o sacerdote, tomou o bebê Jesus nos braços e o abençoou. Virou-se então para Maria e disse: "Eis que este menino está destinado tanto para ruína como para levantamento de muitos em Israel e para ser alvo de contradição (também uma espada traspassará a tua própria alma), para que se manifestem os pensamentos de muitos corações" (Lucas 2.34-35).

Maria mal sabia o que Simeão estava dizendo. Mas ela entendeu o bastante para saber que as suas palavras lançavam uma longa e escura sombra sobre a sua maternidade. Seu filho precioso e amado dividiria o coração da nação. Algumas pessoas o amariam, mas outras o odiariam. Tudo isso fincaria uma espada no coração de Maria — o coração de uma mãe que amava seu filho como só uma mãe poderia amar.

Logo haveria maiores problemas. Quando o rei Herodes soube que havia nascido um novo rei para os judeus, ele teve um surto de inveja furiosa e fez um contrato de morte contra o filho recém-nascido de Maria. A família teve de se afastar o máximo que podiam, portanto eles fizeram mais uma longa viagem. Desta vez, foram até o Egito. Maria e José eram pobres. Eram vítimas de perseguição. Eram refugiados sem-teto. Eram imigrantes sem documentação. Independente das categorias que pudéssemos usar para descrevê-los, eles haviam sofrido todos os tipos de provações que as pessoas enfrentam quando estão na margem entre a vida e a morte.

Em dezembro de 2014, o programa de televisão norte-americano *60 Minutes* colocou no ar uma seção sobre pessoas que estavam fugindo da Síria separada pela guerra em busca de refúgio na Jordânia. Caminhões do exército estavam parados na fronteira esperando carregar os refugiados para um acampamento onde encontrassem alimento e água. Havia espaço nos caminhões para todos, mas as mães não esperaram: colocaram todos os filhos no primeiro caminhão que viram, mesmo se isso significasse ter de ficar para trás. Se houvesse algum risco, elas enfrentariam desde que enviassem os filhos adiante em segurança.

Com certeza Maria deve ter sentido o mesmo. Qualquer perigo que ela enfrentasse — em Nazaré, em Belém, em Jerusalém ou no Egito — seu único pensamento era proteger seu filho. Foi chamada para criá-lo para a obra do reino, não importando as dificuldades que enfrentaria.

O FILHO-HOMEM DE MARIA

A história do Natal não era o fim dos problemas de Maria, mas apenas o começo. Jesus era um bom menino. Na verdade, a Bíblia faz questão de dizer que ele obedecia a seus pais (Lucas 2.51). Mas não podia ser fácil, nem para Jesus nem para sua mãe. Enquanto crescia Jesus, sua identidade singular como Filho de Deus e seu chamado único como Salvador do mundo puseram uma pressão constante sobre os laços de sua família. Recorde o que aconteceu quando Jesus tinha doze anos e a família subiu a Jerusalém para a Páscoa. Essa peregrinação anual era tradicional na família e certamente uma experiência grandiosa para um garoto como Jesus. As ruas da cidade estavam abarrotadas com duzentos mil adoradores e cem mil cordeiros para o sacrifício. Até os doze anos de idade, Jesus poderia correr pela cidade inteira, com todas as suas paisagens e seus sons.

Dentro de mais um ano, ele teria treze anos, a idade em que se tornaria membro pleno da sinagoga — um "filho da

QUANDO OS PROBLEMAS APARECEM

lei", ou bar mitzvá. De acordo com o costume, um garoto de doze anos subiria para Jerusalém com seu pai para tornar-se homem ao aprender os sagrados rituais da Páscoa.

Eis o contexto de uma famosa confusão: "Terminados os dias da festa, ao regressarem, permaneceu o menino Jesus em Jerusalém, sem que seus pais o soubessem. Pensando, porém, estar ele entre os companheiros de viagem, foram caminho de um dia e, então, passaram a procurá-lo entre os parentes e os conhecidos; e, não o tendo encontrado, voltaram a Jerusalém à sua procura" (Lucas 2.43–45).

Não é difícil imaginar como isso aconteceu. Por razões de segurança e comunhão, os peregrinos não viajavam como famílias individuais, mas em grandes caravanas. Tipicamente, as mulheres iam à frente com as crianças menores e os homens seguiam depois. Aos doze anos, Jesus estaria na transição entre a infância e a adolescência. Talvez Maria pensasse que ele estaria viajando pela primeira vez com os homens, enquanto José pode ter presumido que ele ainda estivesse com a sua mãe.

Quando pararam para passar a noite, perceberam que o Messias estava desaparecido. Maria deve ter entrado em pânico absoluto. Quase nada assusta mais uma mãe que perder um filho. Isso aconteceu em nossa família no centro da cidade da Filadélfia e depois na Virginia Ocidental. Nas duas ocasiões, haviam-se passado só uns minutos até encontrarmos a criança. Mas ninguém na família esquece a eternidade de medo que nos acometeu em um único momento.

"Onde está Jesus?"; "Alguém viu Jesus?"; "Quando foi que você o viu pela última vez?". Levava um dia inteiro para voltar para Jerusalém. Maria deve ter feito essa viagem com um nó na garganta e uma dor aguda em seu coração de mãe.

A alma aflita de Maria

Maria e José precisaram de três dias para encontrar Jesus — três dias! Finalmente, eles o acharam no templo, falando sobre teologia com os principais estudiosos da Bíblia em Israel. Claro que Maria ficou aliviada, mas pelo que ela disse, dá para perceber que ela sentiu exatamente o que qualquer mãe sente quando um filho está desaparecido. Ela estava zangada — a ponto de repreender Jesus de imediato: "Filho, por que fizeste assim conosco? Teu pai e eu, aflitos, estamos à tua procura" (Lucas 2.48).

Falou como uma verdadeira mãe. Até o fraseado parece conhecido — tudo desde "seu pai e eu" até "Por que nos tratou assim?". Apelando para suas emoções, Maria deixou perfeitamente claro que o que Jesus fez perturbou a sua alma.

O fato é que Jesus estava correto sobre onde deveria estar. Mas o que o menino falou foi outra espada no coração de Maria: "Por que me procuráveis? Não sabíeis que me cumpria estar na casa de meu Pai?" (v. 49).

Dali em diante, as coisas só piorariam. Jesus deixou os negócios da família para se tornar um pregador itinerante. Qualquer um que pense que isso foi fácil nunca teve um filho desistindo de um emprego certo para passar a ser autônomo. Uma das primeiras coisas que Jesus fez em sua nova carreira foi alienar-se de seus vizinhos, que prontamente o expulsaram da cidade (Lucas 4.28–30). Isso também certamente era algo que as pessoas comentariam quando se encontrassem no poço de Nazaré e compartilhassem as fofocas da vila.

Depois teve a ocasião em que Maria tentou ajudar Jesus a começar seu ministério. Estavam em uma festa em Caná e acabou o vinho. Maria queria que seu filho fizesse algo a respeito. As mães são assim mesmo: sempre têm "sugestões" para o que seus filhos devem fazer. Mas Jesus lhe disse: "Mulher, que tenho eu contigo? Ainda não é chegada a minha hora" (João 2.4).

Ou o que falar da vez em que Maria e o resto dos seus meninos ouviram dizer que Jesus estava ensinando em uma cidade próxima? Francamente, eles estavam preocupados com ele. Algumas pessoas achavam que ele era o Messias, mas outras pensavam que ele estava louco, e alguns provavelmente queriam matá-lo. Como sempre, uma grande multidão se ajuntou para ouvir a pregação de Jesus. Maria queria falar com Jesus — talvez estivesse preocupada com o seu bem-estar — mas não conseguiu chegar perto. Quando alguém puxou a manga do Mestre avisando que sua mãe estava esperando vê-lo, Jesus lançou outra espada no coração de Maria ao dizer: "Quem é minha mãe e quem são meus irmãos?" (Mt 12.48). Apontando aos seus discípulos, ele afirmou: "Eis minha mãe e meus irmãos. Porque qualquer que fizer a vontade de meu Pai celeste, esse é meu irmão, irmã e mãe" (vv 49, 50).

Mas todas essas espadas eram apenas como facas de mesa em comparação à grande espada que perfurou o coração de Maria no Calvário, onde seu amado e inocente filho foi executado por crucificação! Maria tomou seu lugar junto à cruz (Jo 19.25). Pense nisto: ela assistiu ao seu filho sendo torturado até a morte. Até aquele momento, provavelmente ela esperava que seu maravilhoso filho, com todos os seus poderes milagrosos, encontraria um jeito de escapar da cruz. Mas ela estava lá quando eles arrancaram suas roupas e o deixaram nu, apostando para ver quem ficaria com sua túnica. Estava lá quando o pregaram na cruz e o ergueram para morrer. Estava lá vendo o sangue, ouvindo os escarnecedores, sentindo a fria

A alma aflita de Maria

sombra da ira de Deus. E quando a lança traspassou o lado de Jesus, Maria estava perto suficiente para sentir sua borda afiada no profundo de sua alma.

O QUE MARIA FEZ

Será que alguma mãe já sofreu mais profundamente que Maria, mãe de Jesus? A história de sua vida mal cabe no padrão esperado de alguém que é "favorecida" por Deus. Um poema de Thomas Warton captura algo do sofrimento excruciante de Maria ao perder seu filho na cruz:

> Eis abaixo, eis! Maria chorando em pé,
> Em lágrimas as mais sofridas e belas,
> Batendo no peito em que Cristo havia se dependurado,
> E lágrimas sobre seus longos cabelos desgrenhados —
> "Onde posso descansar minha cabeça de pesar?
> Meu filho, meu rei, meu Deus morreu!"[41]

Então, como é que Maria suportou todo esse sofrimento? O que podemos aprender de seu exemplo sobre o que fazer quando sobrevêm os terríveis problemas? A melhor maneira de responder a essas perguntas é voltar para o que Maria disse quando Deus a chamou para dar à luz seu Filho unigênito. De início, ela se perturbou com a saudação do anjo. Ela também tinha algumas boas e sinceras perguntas sobre como era possível uma virgem conceber e parir um filho. Mas quando o anjo lhe disse que o Espírito Santo viria sobre ela, e ela foi

---

[41] Thomas Warton the Elder, "Ode on the Passion," in Robert Atwan and Lawrence Wieder, eds., *Chapters into Verse: Poetry in English Inspired by the Bible*, 2 vols. (New York: Oxford University Press, 1993), 2:214–15.

QUANDO OS PROBLEMAS APARECEM

lembrada de que nada é impossível para Deus, ela se entregou totalmente. Sua simples declaração de obediência é um modelo para nossa submissão à vontade de Deus: "Aqui está a serva do Senhor; que se cumpra em mim conforme a tua palavra" (Lc 1.38).

Havia muitas outras coisas que Maria poderia ter feito quando veio a aflição. Ela poderia ter-se recusado a obedecer. Poderia ter dito a Deus que estava disposta para tarefas mais fáceis, mas não para as difíceis. Por fraqueza ou por temor, ela poderia ter dito: "Eis me aqui, Senhor. Envia outra pessoa!"

Outra coisa que Maria poderia ter feito era negociar. Poderia ter insistido em obter mais detalhes sobre o que exatamente Deus estava pedindo que ela fizesse. Poderia ter pedido alguma garantia sobre o que Deus faria por ela. "Vou pensar sobre isso, Senhor," – poderia ter dito – "mas existe alguma chance de o Senhor conversar primeiro com o meu noivo?" Ou poderia ter falado a Deus que o faria sob uma condição, ou seja, a de que ele não lhe desse mais do que poderia suportar.

Mais tarde, quando começaram a surgir todas as dificuldades, Maria podia ter questionado a bondade de Deus. Quando Herodes estava matando bebês e a sua pequena família havia sido exilada no Egito, ela podia ter criticado Deus por falhar em proteger seu povo. A longa e desesperada viagem foi só o começo. Até o tempo em que Jesus chegou à cruz, Maria podia ter apresentado uma longa lista de reclamações contra o Todo-Poderoso, terminando com a crucificação de seu amado filho, que penetrou uma espada em sua alma. Em qualquer ponto do caminho, ela podia ter falado com Deus que simplesmente não suportava mais e não iria continuar – o plano dele era difícil demais.

A alma aflita de Maria

Você já se sentiu assim — querendo uma saída? A vida o tem decepcionado tanto e com tamanha frequência que você simplesmente não suporta mais seguir a Deus?

Se Maria foi tentada assim, ela nunca cedeu. Ao contrário disso, permaneceu totalmente devota a Deus. Passo a dolorido passo, ela seguiu o caminho do sofrimento que havia sido marcado para ela. Como ela conseguiu? Qual era o seu segredo? Quando veio a aflição, como costuma vir, como Maria suportou?

A resposta está parcialmente na decisão que Maria tomou antes de surgir sua aflição. Tão logo compreendeu o que Deus queria que fizesse, ela simplesmente disse: "Aqui está a serva do Senhor; que se cumpra em mim conforme a tua palavra" (Lc 1.38). Como uma mulher de fé, Maria entregou ao Deus vivo seu corpo e sua alma. Não insistiu em saber os detalhes todos ou em negociar termos melhores. Não colocou condições — coisas que não faria ou lugares aonde não iria – sobre seu serviço a Deus. A palavra de Deus era a sua ordem. Portanto, ela simplesmente disse: "Seja feita a tua vontade, Senhor."

Fazer o que Deus disse foi natural para Maria porque sua vida havia sido profundamente moldada pela meditação na Palavra de Deus. Sabemos disso porque seu famoso cântico — "o Magnificat" — é composto por versículo após versículo dos Salmos (veja Lc 1.46–55). Maria não somente conhecia os Salmos, mas tinha guardado no coração sua profunda lógica interna de firme confiança no caráter e nas promessas de Deus.

Assim, quando chegou a hora de Maria entregar sua vida a Deus, ela a entregou totalmente, sem nenhuma reserva. Quando disse sim ao nascimento virginal, ela estava dizendo sim também ao estábulo em Belém, ao exílio no Egito, a perder Jesus em Jerusalém, ao fato de as pessoas odiarem seu filho e acharem que estava louco, sim até mesmo à crucificação, ao sepultamento e ao túmulo. Sempre que Maria tinha dúvidas ou desanimava, entristecida ou desiludida, podia olhar para trás, para o compromisso que fizera, tendo plena confiança nos propósitos de Deus: "Aqui está a serva do Senhor; que se cumpra em mim conforme a tua palavra".

SEGUINDO O EXEMPLO DE MARIA

Que compromisso você fez? Você é servo do Senhor, como foi Maria? Você ofereceu seu corpo e sua alma aos propósitos do reino de Jesus Cristo a despeito do sofrimento que possa vir?

Não desista nem ceda. Continue oferecendo sua vida para os planos e propósitos de Deus. Ele será tão fiel a você quanto foi a Maria.

Em seu drama *The Man Born to Be King*, Dorothy L. Sayers imaginou uma conversa entre Maria e um dos magos que veio adorar Jesus ao lado de seu berço. O homem sábio estava sentindo o peso do sofrimento, indagando onde estava Deus nas tribulações da vida. Ele disse:

Falo pelas pessoas cheias de tristezas — pelos ignorantes e pelos pobres. Levantamos para labutar e deitamos para dormir, e a noite é apenas uma pausa entre um fardo e outro. O medo é nosso companheiro de cada dia — medo da carência, medo da guerra, medo de uma morte cruel e de uma vida ainda mais cruel. Mas poderíamos suportar tudo isso se soubéssemos não estar sofrendo em vão; que Deus está ao nosso lado na luta, partilhando das misérias de seu próprio mundo. Pois o enigma que tormenta o mundo é este: Será que Tristeza e Amor serão finalmente reconciliados, quando vier o Reino prometido?

A alma aflita de Maria

A resposta que Sayers põe na boca de Maria ressoa verdadeira para a sua experiência da graça de Deus, conforme relatado nos Evangelhos:

Essas são questões muito difíceis — mas comigo, vejam, é assim. Quando a mensagem do anjo veio até mim, o Senhor colocou em meu coração uma canção. De repente, eu vi que riqueza e sagacidade não eram nada para Deus — não existe ninguém sem importância a ponto de não poder ser amigo de Deus. Foi esse o pensamento que me veio por causa do que *me* aconteceu. Sou de nascimento muito humilde, contudo, o Poder de Deus veio sobre mim; sou muito tola e sem instrução, no entanto, a Palavra de Deus foi falada a mim; eu estava em profundo desespero quando meu Bebê nasceu e encheu minha vida de amor. Portanto, sei muito bem que a Sabedoria e o Poder e a Tristeza podem conviver com o Amor, e para mim, o Menino em meus braços é a resposta para todos os enigmas.[42]

Em todo problema que enfrentou, Deus estava com Maria para ajudá-la. Quando estava assustada com a primeira saudação do anjo, Deus falou palavras de conforto: "Não temas... para Deus não haverá impossíveis". Quando Herodes mandou os soldados fazerem seu trabalho mortífero, Deus protegeu o bebê de Maria. Deus estava com a mãe e a criança em sua viagem para o Egito, e ele os trouxe de volta em segurança até Nazaré. Quando Maria achava que Jesus estava perdido, Deus o guardou seguro no templo. Quando Jesus morria sobre a cruz, certificou-se de que Maria seria bem cuidada ao confiá-la ternamente ao apóstolo João, o seu amado discípulo (Jo 19.26–27).

---

42 Dorothy L. Sayers, *The Man Born to Be King: A Play-Cycle on the Life of Our Senhor and Saviour Jesus Christ* (London: Victor Gollancz, 1969), 58–59.

QUANDO OS PROBLEMAS APARECEM

Três dias mais tarde, Jesus ressuscitou da morte, e os problemas de Maria acabaram. Aleluia!

Temos o último vislumbre de Maria depois que Jesus ascendeu ao céu e seus discípulos se reuniram para oração no cenáculo. Maria estava ali com eles (At 1.13-14), adorando o Deus a quem ela servira por toda sua vida — o Deus que estivera com ela em cada provação.

O Espírito Santo nos convida a fazer nosso próprio compromisso assim como Maria, dizendo: "Eis aqui teu servo, Senhor. Seja feita a tua vontade. Que seja conforme a tua palavra". As pessoas que têm tal compromisso geralmente enfrentam toda espécie de problemas. Mas quando vêm as provações — perigos, exílio, abandono e até mesmo a morte — somos guardados seguros no amor de Deus. E seremos capazes de ofertar o mesmo louvor exultante que Maria expressou: "porque o Poderoso me fez grandes coisas" (Lc 1.49).

7

AGORA, ESTÁ ANGUSTIADA A MINHA ALMA.

O SOFRIMENTO ATÉ A MORTE DO SALVADOR (JOÃO 12.20–33)

Faltavam quatro ou cinco dias para a Última Ceia — o mesmo dia da Entrada Triunfal de nosso Salvador em Jerusalém — e Jesus (sim, Jesus) estava em gravíssimas aflições. Problemas de verdade. Sabemos disso, não simplesmente pelo que aconteceu no decurso daquela semana de grandíssimo impacto, mas também porque o próprio Jesus disse isso — em voz audível — a André e a Filipe, e talvez a mais alguns dos outros discípulos: "Agora, está angustiada a minha alma" (Jo 12.27a).

POR QUE "AGORA"?

De todos os tempos em que Jesus poderia ter dito que estava angustiado, por que ele o fez precisamente naquele momento?

QUANDO OS PROBLEMAS APARECEM

João começa o capítulo 12 dizendo que era "seis dias antes da Páscoa". Jesus estava em Betânia, não longe de Jerusalém, com seus amigos Maria, Marta e o irmão delas, Lázaro. No dia seguinte, entrou na Cidade Santa montado em um jumento, e as multidões receberam Jesus como seu Messias — especialmente as pessoas que sabiam que ele havia ressuscitado a Lázaro (veja Jo 12.17–18). "Hosana!", gritavam. "Bendito o que vem em nome do Senhor!" (v. 13).

Os fariseus ficaram ofendidos com isso e disseram: "Eis aí vai o mundo após ele" (v. 19). Era verdade: todo mundo queria seguir Jesus, incluindo alguns gentios que queriam conhecer o Messias pessoalmente. Eles deviam ser um tanto tímidos porque em vez de falar diretamente com Jesus, se aproximaram de um de seus discípulos. Falaram com Filipe, que era galileu e provavelmente falava grego, como eles. Disseram-lhe: "Senhor, queremos ver Jesus" (v. 21).

Aqueles eram dias de muita emoção, quando as pessoas queriam ver, seguir e adorar Jesus. No entanto, o Salvador sabia que estava em dificuldades. "Agora, está angustiada a minha alma", disse. A questão é: Por que ele estava dizendo isso agora?

Jesus poderia ter dito isso em muitos momentos de sua vida, e teria feito perfeito sentido. Ele enfrentou dificuldades mesmo antes de nascer, conforme vimos no capítulo anterior, quando olhamos para sua mãe, Maria, e todas as suas provações. Jesus nasceu a uma virgem, significando que sempre haveria rumores sobre seu parentesco — acusações de que fosse ilegítimo. Quando chegou a hora de nascer, não havia lugar na hospedaria, só uma manjedoura em um estábulo.

O menino corria perigo quase imediatamente após ter nascido. O rei Herodes intentou matá-lo quando era apenas um bebê, e assim Jesus teve de ser levado até o Egito para sua segurança. Finalmente, sua família retornou a Israel para viver uma vida calma no vilarejo de Nazaré. Segundo todos os relatos, Jesus teve uma infância feliz. Mas, tão logo começou seu ministério público, enfrentou problemas.

Jesus estava atribulado no deserto, onde jejuou por quarenta dias e quarenta noites. Ali, esteve sob ataque direto de Satanás, que o tentou a usar seu poder para vantagens pessoais e a buscar seu reino sem sofrimento (Mt 4.1–11).

Após resistir a essas tentações mortais, Jesus voltou a Nazaré e começou a pregar o evangelho conforme dito por Isaías — as boas-novas de liberdade aos pobres (Lc 4.18 e versículos seguintes). Os seus vizinhos amaram o que ele tinha a dizer — até começar a lhes dizer que Deus tinha graça também para os gentios. Logo que ouviram isso, tentaram executá-lo por blasfêmia (vv. 28–30).

Quanto mais milagres Jesus realizava, mais popular ele se tornava, e mais certos líderes religiosos buscavam encontrar defeitos nele. Alguns o chamavam de herege, outros, de lunático. Não o criticavam somente; começaram a tramar contra ele, a fim de achar um jeito de condená-lo à morte.

Não foram somente essas aflições que Jesus enfrentou. Considere o peso que carregou pelas pessoas perdidas e carentes de ajuda, que viviam como ovelhas sem pastor (Mt 9.36). Considere o lamento sobre Jerusalém — a cidade que ele ansiava trazer sob sua amorosa proteção (Mt 23.37–39). Considere as intensas emoções sentidas junto ao túmulo de Lázaro, onde chorou pela perda que seus amigos sofreram e clamou contra a devastação que a morte traz à humanidade caída (Jo 11.35, 38). Considere as lágrimas derramadas durante a sua Entada Triunfal em Jerusalém; enquanto as multidões davam vivas, Jesus chorou abertamente pela rejeição de seu povo e pela destruição que viria sobre a Cidade Santa como consequência (Lc 19.41-44).

Quando Jesus chegou à sua última semana de vida, havia sofrido muitas aflições. Estava sem lar, era rejeitado. Ele "era desprezado e o mais rejeitado entre os homens; homem de dores e que sabe o que é padecer; e, como um de quem os homens escondem o rosto, era desprezado, e dele não fizemos caso" (Is 53.3). Jesus parecia estar sempre em dificuldades. No entanto, esse foi o momento nos Evangelhos em que abriu uma janela em seu coração e disse: "Agora, está angustiada a minha alma".

A razão era muito simples. Nenhuma dessas provações que Jesus enfrentara até aqui poderiam chegar perto do terror da cruz. Logo antes de dizer que sua alma estava angustiada, Jesus havia dito o seguinte: "Em verdade, em verdade vos digo: se o grão de trigo, caindo na terra, não morrer, fica ele só; mas, se morrer, produz muito fruto. Quem ama a sua vida perde-a; mas aquele que odeia a sua vida neste mundo preservá-la-á para a vida eterna" (Jo 12.24-25). Jesus pensava em sua morte, seu sepultamento e sua ressurreição. *Ele* era o grão de trigo que cairia ao chão para morrer, ante de ressurgir novamente com o fruto de vida eterna.

Jesus podia ver o que estava adiante dele. Sabia que se aproximava do maior sofrimento que alguém poderia passar. Com certeza, não estava pensando somente em si mesmo; pensava também em seus discípulos e nos sofrimentos que eles estavam prestes a passar. Mas estava pensando em sua própria situação a ponto de admitir que sua alma estava profundamente angustiada. Em seu dia mais escuro, o salmista disse: "Pois a minha alma está farta de males, e a minha vida já se abeira da morte" (Sl 88.3; cf. 6.3; 22.11). Quando Jesus se sentiu dessa mesma maneira, ele simplesmente disse: "Agora, está angustiada a minha alma".

ALGUMAS PERGUNTAS

Logo que Jesus disse isso — dando voz à sua alma angustiada — ele se perguntou a mesma pergunta que temos feito por todo este livro. Perguntou em voz alta, para que seus discípulos a pudessem escutar. Disse ele: "E que direi eu?" (Jo 12:27b). Noutras palavras: "O que é que eu vou fazer quando esta aflição vier?".

Em seguida à sua primeira pergunta, Jesus prosseguiu com uma segunda, intimamente relacionada à primeira. Indagou se deveria orar: "Pai, salva-me desta hora?" (v. 27c). Para Jesus, era uma pergunta retórica, mas, para a maioria das pessoas, não seria uma pergunta, e sim uma exigência: "Pai, salva-me desta hora!"

A maioria das pessoas tenta evitar os problemas a todo custo, e quando chegam as aflições, tentamos nos safar delas assim que possível. Isso explica por que algumas pessoas afirmam não ter problemas ou fingem que seus problemas acabaram antes mesmo de terminarem. Ninguém gosta de estar em apuros. Quando vem a provação, um de nossos primeiros instintos é pedir que Deus nos tire dos problemas. Claro que não existe nada de errado com isso, conquanto reconheçamos que Deus talvez tenha um propósito mais importante que simplesmente nos livrar das aflições.

Quando Jesus viu que os problemas estavam para chegar, naturalmente perguntou se haveria alguma saída. E também não parou de pensar sobre isso. O pensamento voltou mais de uma vez durante aquela última semana de sua primeira vida terrena. "Talvez haja outro jeito," pensou consigo mesmo. "Talvez exista outro jeito sem a cruz e o sepultamento".

Por exemplo, esses pensamentos voltaram a Jesus na noite em que foi traído. Enquanto jantava com seus discípulos naquela noite — a Última Ceia — "angustiou-se Jesus em espírito" (Jo 13.21). Semelhantemente, Marcos conta que quando Jesus saiu para orar naquela noite, "começou a sentir-se tomado de pavor e de angústia" (Mc 14.33). De fato, Jesus admitiu isso a alguns dos seus discípulos. "A minha alma está profundamente triste até à morte" (v. 34). Enquanto agonizava em oração, suando sangue e clamando ao céu, Jesus indagava se haveria outro jeito de salvar o seu povo. "Se queres, passa de mim este cálice" (Lc 22.42).

Entenda que Jesus estava angustiado — realmente angustiado. Jesus entende—realmente compreende — o que significa estar atribulado. Não me refiro ao tipo de problema que temos quando fazemos o que é errado, mas ao tipo que sobrevém mesmo quando fazemos a coisa certa e estamos desesperados para encontrar alguma saída.

Você já esteve nesse tipo de aflição? Já sentiu que seu mundo desmoronava? Já sentiu que algo terrível estava prestes a acontecer e você não tinha como evitá-lo? Já sentiu como se não houvesse saída nem lugar para onde recorrer?

Jesus já se sentiu assim, mais de uma vez. Às vezes sua alma se afligia. Se entendermos corretamente as implicações da encarnação — que Jesus é plenamente humano e plenamente divino — então entenderemos que não era mais fácil para ele passar por aflições do que é para nós. De fato, a Bíblia afirma que "nos dias da sua carne, [Jesus ofereceu], com forte clamor e lágrimas, orações e súplicas a quem o podia livrar da morte

(Hb 5.7). Ela também descreve nosso Salvador como alguém que foi "tentado em todas as coisas, à nossa semelhança, mas sem pecado" (Hb 4.15) — uma descrição que certamente inclui a tentação natural de fugir dos problemas.

Isso significa que quando vamos até Jesus com os nossos problemas, não chegamos a alguém que *não* nos entende, mas sim, a alguém que nos *entende* completamente. Jesus faz muito mais que se compadecer de nós, ele tem empatia conosco. E porque ele tem profunda empatia conosco, ele pode nos mostrar — melhor do que ninguém — o que fazer quando vêm as aflições. "Pois, naquilo que ele mesmo sofreu, tendo sido tentado, é poderoso para socorrer os que são tentados." (Hb 2.18).

Em seu cântico *Hard to Get*, Rich Mullins tem algumas perguntas que gostaria que fossem respondidas, como acontece com a maioria de nós. O cantor considera Deus "simplesmente difícil de nos entender" e um tanto desligado de um mundo em dor. Então ele pergunta a Deus: "Conheceste a solidão / Conheceste a necessidade / Lembra-te de como a noite pode ser tão longa?"

A resposta é que Jesus conhece essas e muitas outras aflições. No fundo, Mullins sabe disso, e então canta:

> E eu sei que carregaste nossas dores
> E sei que conhece o nosso sofrer
> E sei que não doerá menos
> Mesmo que possa ser explicado
> E sei que estou somente reclamando
> Ao Único que mais me ama.[43]

---

43 De Rich Mullins, "Hard to Get," © 1998 Liturgy Legacy Music (Admin. by Word Music, LLC), Word Music, LLC. All rights reserved. Used by permission.

QUANDO OS PROBLEMAS APARECEM

O Salvador que nos ama mais que qualquer um é Aquele que melhor nos compreende, e isso, em parte, é porque ele também foi afligido. Eis como David Powlison explica a empatia que Jesus tem por nós:

> Ele não estava acima de tudo isso. Ele entrou em nosso gravíssimo problema. Homem de dores, intimamente conhecedor do que é padecer, entra nos lugares difíceis e passa por aflições. Jesus mesmo nunca se livrou de sua experiência do mal. Nunca deixou de sofrer por isso. Isso dá forma ao seu amor, a sua coragem, seu senso de propósito. Os amigos de Jesus o reconheceram quando ele os convidou a "ver minhas mãos e meus pés" (Lucas 24.39-41). Viram as marcas dos pregos. Porém, Jesus não foi deformado pelo que sofreu [...] Ele não explodiu com as trevas quando foi preso por elas. Jesus não era definido pela dor, mas também não se esquece de como ela é. Ele não retribui mal por mal, mas é misericordioso aos que assim agem. Ele nos toma.[44]

A RESPOSTA DO SALVADOR

Então, o que Jesus fez quando estava em aflição? Como ele respondeu à sua pergunta retórica?

Em vez de tentar se livrar da aflição, Jesus abraçou o chamado da cruz. Ele disse: "Agora, está angustiada a minha alma, e que direi eu? Pai, salva-me desta hora? Mas precisamente com este propósito vim para esta hora" (Jo 12.27).

Jesus respondeu à sua próprioa pergunta retórica com um gigantesco não! Recusou-se a pedir que o livrasse da hora

---

44 Citado por Jamie Dean, "Terror by the Minute," World (February 7, 2015), 38.

escura de uma cruz sangrenta. Em vez disso, declarou sua determinação inabalável de fazer o que fosse requerido da salvação. Era essa a razão pela qual o Salvador havia vindo ao mundo: para salvar seu povo dos seus pecados. Em vez de recuar, como foi tentado a fazer, ele foi em frente até o Calvário e a crucificação.

Isso significou que qualquer dificuldade que Jesus enfrentara até esse ponto era somente o começo. Às vezes, nossas vidas são assim também. Fazemos o que Deus nos chama a fazer e, então, em vez de ter menos problemas na vida, temos mais. Quanto mais servimos, mais temos de nos sacrificar.

Foi assim com Jesus também. O sofrimento veio, e então veio de novo. Poucos e curtos dias depois de Jesus dizer que sua alma estava aflita, foi traído com um beijo de meio-noite. Foi apreendido injustamente e acusado falsamente. No decurso de uma longa e agonizante noite, foi arrastado de um a outro tribunal. Nesses julgamentos exibicionistas – tanto religiosos quanto políticos — foi condenado por crimes que não cometeu. Foi brutalmente açoitado antes de sofrer a morte por tortura.

Ao longo do caminho, Jesus foi ridicularizado por ser exatamente quem ele era. O mais verdadeiro entre os profetas foi zombado por ser profeta. Antes de o entregar aos romanos, alguns de seus torturadores judeus bateram em seu rosto dizendo-lhe: "Profetiza-nos, ó Cristo, quem é que te bateu!" (Mt 26.68).

As pessoas também zombaram de seu reinado. Quando os soldados romanos conduziram Jesus até a morte, debocharam de sua declaração quanto a ser rei com um manto escarate, uma coroa de espinhos e um cetro de palha. Em uma homenagem escarnecedora, ajoelharam-se diante dele dizendo: "Salve, rei dos judeus!" (Mt 27.28–29).

QUANDO OS PROBLEMAS APARECEM

Mais tarde naquele dia, enquanto oferecia sua vida em expiação pelo pecado, as pessoas desprezaram a eficácia de seu ministério sacerdotal. "Salvou os outros; a si mesmo se salve, se é, de fato, o Cristo de Deus, o escolhido" (Lc 23.35). Naquele exato momento em que diziam isso, Jesus estava cumprindo o ministério sacerdotal de oração e sacrifício. O Grande Sumo Sacerdote intercedia pelo perdão de seus inimigos (Lc 23.34) e oferecia seu corpo e sangue como sacrifício por seus pecados. No entanto, eles zombavam dele.

Por ventura houve alguém que tenha passado por maior sofrimento que Jesus Cristo, o qual sofreu até a morte? O que faz essas tribulações serem especialmente notáveis é que, como o perfeito Filho de Deus, ele nunca mereceu sofrer nada, e nunca teria sofrido exceto porque escolheu, por sua própria vontade, entrar neste mundo caído.

Considere como Jesus sofreu muitos dos mais horríveis males que ainda vemos no mundo hoje: prisão ilícita; calúnias do antissemitismo; violência motivada por racismo; ódio como inimigo sem justa causa; zombaria; morte por tortura; e, naquela morte brutal, vergonha das pessoas que o viram nu.

Pergunto novamente: alguém já experimentou maior tribulação que Jesus? E teria o sofrimento de qualquer um maior relevância para um mundo em dor – em todo lugar, desde as favelas da Índia e da Cidade do México até o Oriente Médio dilacerado pela guerra, da África ferida pela pobreza até a miséria dos centros das cidades na América? Qualquer cristão que se preocupa com a injustiça, que conclama por reconciliação racial, que se importa com os sobreviventes do abuso sexual ou que clama pelos queimados e decapitados da igreja perseguida conhece um Salvador que se compadece pelos que sofrem — que tem um coração que sangrou com a redenção na cruz. Quaisquer respostas que Jesus oferece para os problemas do mundo vieram por meio do maior sofrimento que alguém já conheceu.

A MAIS ALTA MOTIVAÇÃO

Por que, então, Jesus passou por isso? O que lhe deu poder para perseverar? O que o motivou a cumprir seu chamado mesmo quando isso significava apenas sofrimento?

João nos mostra que Jesus foi motivado pela mais alta de todas as ambições: a glória de Deus. Note como Jesus orou. Quando sua alma estava aflita, pensou em dizer: "Pai, salva-me desta hora" (Jo 12.27c), mas decidiu não fazê-lo. Em vez disso, ele disse: "Pai, glorifica o teu nome" (v. 28).

Quando Jesus orou desse jeito, estava se entregando aos planos e propósitos do Pai. Olhava para o céu dizendo: "Seja feita a tua vontade", que na verdade foi o jeito de pedir por problemas, porque o propósito sábio do Pai para ele foi de sofrimento e morte. Jesus sabia disso, porque poucos versículos adiante ele profetizou que seria "levantado" para morrer (vv. 32–33). Jesus estava disposto a suportar a execução por crucificação, porque sua vida era para a glória maior de Deus. Ele não buscou seu próprio prazer; seu propósito principal era dar glória a seu Pai.

Foi exatamente o que o Salvador fez: glorificou a Deus. E assim, de um modo terrível e maravilhoso, as suas orações foram respondidas. Por meio dos sofrimentos e da morte de seu único Filho, Deus Pai glorificou o seu nome, conforme prometera (veja o versículo 28). Jesus não se livrou dos problemas, mas os atravessou, e tudo pelo qual ele passou trouxe glória a Deus. Mesmo a cruz foi para a glória de Deus. "Não existe tribunal mais magnífico", escreveu João Calvino, "nenhum trono mais alto, nenhuma demonstração mais distinta de triunfo, nenhuma carruagem mais elevada, que o instrumento de execução sobre o qual Cristo subjugou a morte e o diabo".[45] Como resultado do que Jesus sofreu na cruz, e depois obteve através do túmulo vazio, nossos corações são transformados. Nossa culpa é perdoada. Nossos pecados são lavados. Nossas vidas possuem novo propósito no reino de Deus. Nosso lugar no céu está seguro para sempre.

Tudo isso traz glória a Deus — a glória que oferecemos em nome de Jesus Cristo. Eis como o "Credo Masai", de Quênia, expressa glória a Deus pela morte e ressurreição de Jesus Cristo. Ele declara que, depois de o Salvador ter sido "torturado e ter suas mãos e pés pregados a uma cruz, e morrer, ficou no túmulo, mas as hienas não o tocaram e, no terceiro dia, ressurgiu da morte. Ascendeu aos céus. Ele é o Senhor!"[46]

Mesmo quando cristãos usam um credo que deixa de fora as hienas, louvamos a Deus pela mesma salvação. A razão pela qual podemos fazer isso é porque, quando Jesus esteve em tremenda aflição, não orou para se livrar dos problemas —Deus seja louvado! Antes, orou para que seu sofrimento fosse para a glória maior de Deus.

O que você vai fazer quando as aflições vierem – quando vierem ao mundo e a você? Mais cedo ou mais tarde, você se encontrará dizendo o que Jesus disse: "Agora, está angustiada

---

45 John Calvin, *Commentary on Philippians-Colossians* (Grand Rapids, MI: Baker, 1979), 191.
46 "The Masai Creed," citado por Timothy George, "Jesus on Safari: The Legacy of Jaroslav Pelikan," *First Things* (January 26, 2015), http://www.firstthings.com/web-exclusives/2015/01/jesus-on-safari, acessado em 30 de Setembro 30 de 2014.

a minha alma". A questão é: O que você vai dizer em seguida? O que pedirá que Deus faça? Nosso Salvador não nos ensina a dizer: "Pai, salva-me desta hora", mas sim: "Pai, glorifica o teu nome."

8
EM TUDO SOMOS ATRIBULADOS.

AS LEVES E MOMENTÂNEAS TRIBULAÇÕES DE PAULO (2 CORÍNTIOS 4.7–18)

Foi depois da morte e ressurreição de Jesus Cristo, durante uma viagem missionária a algum lugar do mundo romano, quando Paulo estava em apuros. Problemas reais. Na verdade, podemos dizer que isso aconteceu em quase toda cidade que o apóstolo visitou ou em qualquer viagem missionária que fez. Acontecia em todo lado, desde a Antioquia até Roma: onde quer que Paulo fosse, mais cedo ou mais tarde, enfrentaria perseguição pela proclamação do evangelho.

O apóstolo põe em perspectiva seus sofrimentos em 2 Coríntios 4. Por um lado, Paulo é sincero quanto ao tamanho dos problemas que ele e seus amigos enfrentavam. Falando sobre sua experiência missionária, ele usa palavras como *angustiados, perplexos, perseguidos* e *abatidos*. Contudo, usa cada uma dessas palavras fazendo contraste entre os problemas externos e a força interna que Deus lhes dava para poder perseverar. "Em tudo somos atribulados, porém não angustiados; perplexos, porém não desanimados; perseguidos, porém não desamparados; abatidos, porém não destruídos" (2Co 4.8-9). A perseguição leva Paulo ao limite do que qualquer um pode suportar, mas não vai além disso.

O apóstolo faz também um segundo contraste, entre o que esses problemas terrenos são no momento e como se parecerão na vida por vir. Existe uma eternidade de diferença entre a agonia que enfrentamos nessas trevas presentes e o êxtase que experimentaremos para sempre no brilho da glória eterna de Deus.

AS AFLIÇÕES DE PAULO

Ao fazer esses contrastes, Paulo fala de um tipo específico de problema. Não é um problema que todo mundo enfrenta, nem mesmo um que já tenhamos considerado, mas é comum à experiência da igreja no mundo. É o sofrimento que surge quando os cristãos são perseguidos por seguirem Jesus Cristo.

Se havia alguém que conhecia o que era sofrer perseguição, esse era o apóstolo Paulo. Um dos primeiros lugares que visitou como missionário foi a Antioquia da Pisídia. Já antes de seu segundo sábado ali, alguns dos principais homens e mulheres da cidade "levantaram perseguição contra Paulo e Barnabé, expulsando-os do seu território" (At 13.50). Em seguida ele foi até Icônio. Essa visita durou um pouco mais, mas eventualmente os líderes judeus daquela cidade também conspiraram contra Paulo (At 14.5). Assim, fugiu para Listra, onde as multidões, "apedrejando a Paulo, arrastaram-no para fora da cidade, dando-o por morto" (v. 19). Mas o apóstolo estava apenas "aparentemente" morto: no dia seguinte, ficou de pé e continuou sua viagem missionária.

Existem mais histórias sobre a perseguição de Paulo do que temos espaço nessas páginas para descrevê-las. Em Filipos, foi açoitado com varas e lançado na prisão (At 16.22-23). Em Corinto, foi levado sob acusações legais falsas antes de ser liberado (At 18.12-17). Em Éfeso, houve enorme tumulto contra o evangelho cristão (At 19.21-41). Quando Paulo viajou até Jerusalém, foi preso enquanto adorava no templo. Alguns dos cidadãos queriam bater nele até a morte, e o teriam feito, mas alguns soldados romanos apareceram e salvaram sua vida (At 21:27-33).

Se essas histórias não estivessem na Bíblia, alguns dos resumos que Paulo fez dos surpreendentes sofrimentos pelos quais passou poderiam ser difíceis de acreditar. Numa ocasião, ele se gloriou por haver suportado "muito mais [...] prisões" que qualquer outro, com "açoites, sem medida" que frequentemente o deixaram "em perigos de morte" (2Co 11.23). Para provar isso, passou a enumerar algumas das dificuldades que enfrentou:

> Cinco vezes recebi dos judeus uma quarentena de açoites menos um; fui três vezes fustigado com varas; uma vez, apedrejado; em naufrágio, três vezes; uma noite e um dia passei na voragem do mar; em jornadas, muitas vezes; em perigos de rios, em perigos de salteadores, em perigos entre patrícios, em perigos entre gentios, em perigos na cidade, em perigos no deserto, em perigos no mar, em perigos entre falsos irmãos; em trabalhos e fadigas, em vigílias, muitas vezes; em fome e sede, em jejuns, muitas vezes; em frio e nudez (2Co 11.24-27; cf. 6.4-5).

QUANDO OS PROBLEMAS APARECEM

Em outra ocasião, ao descrever o estado da igreja no mundo, Paulo disse:

> Até à presente hora, sofremos fome, e sede, e nudez; e somos esbofeteados, e não temos morada certa, e nos afadigamos, trabalhando com as nossas próprias mãos. Quando somos injuriados, bendizemos; quando perseguidos, suportamos; quando caluniados, procuramos conciliação; até agora, temos chegado a ser considerados lixo do mundo, escória de todos (1Co 4.11-13).

Da próxima vez que formos tentados a pensar que temos muitos problemas na vida, considerar os sofrimentos do apóstolo Paulo nos ajudará a colocar as coisas na perspectiva correta.

Quando Paulo falava de alguns de seus problemas, não estava dando uma festa de autocomiseração, tentando fazer com que as pessoas sentissem pena dele. Também não estava se orgulhando de sua coragem. Estava simplesmente dando um relato direto do que realmente experimentou.

De modo surpreendente, Paulo estava dizendo que as suas orações estavam sendo respondidas, porque uma de suas maiores ambições na vida era participar dos sofrimentos de Cristo. Quando Paulo entregou sua vida a Jesus na estrada para Damasco, foi-lhe dito claramente quanto ele teria de sofrer pela causa do evangelho (At 9.15-16). Paulo assumiu isso. A oração de sua vida era para ser participante dos sofrimentos de Cristo, "conformando-me com ele na sua morte" (Fp 3.10). Voluntariamente, ele escolheu tomar a cruz por amor do Salvador que morreu numa angustiante cruz por ele.

Isso ajuda a explicar por que Paulo descreve a perseguição como um dom: "Porque vos foi concedida a graça de padecerdes por Cristo e não somente de crerdes nele" (Fp 1.29). Fale de um presente que ninguém quer ganhar! Quem gosta de sofrer? No entanto, Paulo considerava a perseguição um privilégio de seu apostolado — uma oportunidade perfeita de glorificar a Deus. Ele também via alegria no sofrimento que suportou por Cristo e por seu reino. Em quase toda passagem em que Paulo fala sobre perseguição, ele também testifica ter encontrado alegria na bondade de Deus. Ele está sempre dizendo coisas como: "Agora, me regozijo nos meus sofrimentos por vós" (Cl 1.24) ou "pelo que sinto prazer nas fraquezas, nas injúrias, nas necessidades, nas perseguições, nas angústias, por amor de Cristo" (2Co 12.10). O ponto não é que Paulo gostava de sofrer, mas que tinha uma fonte sobrenatural de alegria na presença de Deus o Espírito Santo.

A IGREJA PERSEGUIDA

Paulo tem muito a nos ensinar sobre o que fazer quando vierem as aflições. Talvez poucos cristãos sofram qualquer coisa perto do que esse homem suportou. Mas os seus sofrimentos são relevantes para a nossa própria experiência.

A perseguição de Paulo é relevante, primeiro porque ajuda todos nós a contar o alto preço do discipulado cristão. Entenda isto: uma decisão de viver por Cristo é também uma decisão de morrer por Cristo. Se soubermos o que alguns cristãos têm sofrido, poderemos ser sinceros em nosso compromisso de seguir a Cristo, não importa o que aconteça.

O que Paulo suportou é especialmente relevante para qualquer que seja chamado para viver e compartilhar o evangelho em um dos lugares mais difíceis do mundo em nome de Jesus. Mas mesmo quando não vamos aos lugares mais difíceis, ainda podemos nos encontrar em apertos. Por exemplo, um estudante universitário pode voltar para casa no verão e passar um tempo com os antigos amigos do ensino médio. É muito mais fácil concordar com a maioria do que suportar os comentários que as pessoas fazem quando um crente decide não falar o que todo mundo anda dizendo, não fazer o que estão fazendo ou não dar risadas daquilo que eles estão rindo quando o que dizem, fazem e zombam não honram a Deus. Ou, dando outro exemplo, um empregado cristão pode servir em um local de trabalho onde exista uma tentação muito real de manter calado o cristianismo. O resultado sutil, mas inegável, de ceder a tal tentação é transformar uma relação *pessoal* com Jesus Cristo em um relacionamento *privado*. O exemplo de Paulo desafia todos os cristãos a uma posição mais firme.

O que o apóstolo sofreu é relevante também porque nos lembra da perseguição real que a igreja está sofrendo ao redor do mundo hoje. É fácil focar o que acontece na América ou no Ocidente e se esquecer do que acontece em outros países. Conforme a Lista de Vigilância do Mundo, publicada anualmente pela missão Portas Abertas, mais de mil igrejas foram atacadas em um ano recente, e mais de quatro mil cristãos foram mortos.[47]

Na Nigéria, a organização militante islâmica Boko Haram anunciou publicamente, em 2015, sua intenção de "limpar" o país de todos os cristãos. Nas palavras de seu líder: "Essa é uma guerra contra os cristãos [...] Alá diz que devemos acabar

---

[47] "2014, the Worst Year Ever for Persecution", *Christianity Today* (March 2015), 14.

com eles quando conseguirmos pegá-los".[48] Com essa finalidade, terroristas jihadistas queimaram igrejas, destruiram vilarejos inteiros e sequestraram centenas de moças adolescentes, a maioria delas cristãs. Durante uma só semana, Boko Haram atacou vilarejos de pescadores no Lago Chade e mataram mais de duas mil pessoas. Muitas mulheres e crianças se afogradam ao entrar no lago em barcos superlotados que acabaram virando.[49] Ataques similares aconteceram em Níger, onde protestos islâmicos contra a revista satírica francesa Charlie Hebdo levaram à destruição de setenta igrejas.[50]

Ataques a igrejas eram ainda mais comuns no norte da Síria, onde o Estado Islâmico, conhecido também como ISIS, expulsou mais de um milhão de cristãos de seus lares no outono de 2014, forçando-os a enfrentar um inverno de fome e frio. A mesma coisa aconteceu no norte do Iraque, onde, no domingo de Páscoa de 2015 — como resultado do atentado genocida — os sinos da igreja na histórica cidade de Mossul ficaram em silêncio pela primeira vez em mais de mil e quinhentos anos. Lares cristãos naquela cidade foram marcados com uma letra preta "N" de Nazareno.[51] Houve também aquelas horrorosas execuções na Líbia, onde muçulmanos decapitaram vinte e um cristãos coptas às margens do mar Mediterrâneo.

---

48 Citado em Jamie Dean, "Terror by the Minute," World (February 7, 2015), 38.
49 Timothy George, "While Africa Bleeds," First Things (February 23, 2015), http://www.firstthings.com/web-exclusives/2015/02/when-africa-bleeds, acessado em Março de 2015.
50 "Charlie Hebdo protests destroy scores of churches," Christianity Today (March 2015), 16.
51 David Skeel, "Christianity Will Live on in Iraq," USA Today (September 22, 2014), http://www.usatoday.com/story/opinion/2014/09/22/christianity-iraq-perseguição-live-return-column/16076311/, acessado em 30 de Setembro de 2014.

QUANDO OS PROBLEMAS APARECEM

Citando mais um exemplo, a organização terrorista somaliana Al-Shabaab atacou a Faculdade da Universidade Garissa do Quênia. Os militantes separaram os muçulmanos dos cristãos pedindo que recitassem versículos do Alcorão. Então assassinaram os estudantes cristãos a sangue frio — quase 150, muitos deles eram os primeiros estudantes de suas famílias a frequentar a faculdade.

Precisamos estar conscientes do que está acontecendo na igreja ao redor do mundo. O sofrimento de nossos irmãos e irmãs não é acidental; é intencional. O ISIS entitulou uma de suas chamadas públicas para o genocídio de "Uma Mensagem à Nação da Cruz." Eis a sua mensagem, conforme noticiários difundidos na época: "Conquistaremos sua Roma, quebraremos as suas cruzes e escravizaremos as suas mulheres". Como membros do reino cruciforme de Deus, devemos considerar o que Deus está nos chamando a fazer em resposta. Estamos orando pela igreja perseguida? Estamos perguntando a Deus se existe algo que possamos fazer para ajudar?

Um estudante universitário escreveu perguntando por que a igreja evangélica está focando "tão pouco a crise e a perseguição de nossos irmãos e irmãs no Oriente Médio, norte da África e África Ocidental". Membros da comunidade judaica fizeram a mesma pergunta. Um rabino observou que, se os judeus tivessem sido decapitados na Libia em vez de cristãos, a comunidade judaica mundial teria clamado pelos membros de sua família — sua carne e sangue. Ele queria saber por que não existe mais senso de indignação na igreja e por que não existe um senso de solidariedade mais forte para com nossos irmãos e irmãs na fé.

PROVAÇÕES NECESSÁRIAS

Um modo de se construir maior senso de solidariedade é simplesmente se conscientizando dos sofrimentos da igreja perseguida. Mas precisamos também entender por que Deus permite a seus filhos amados sofrer e até morrer por amor do seu evangelho. Qual é o propósito de Deus nesses sofrimentos?

Essa questão não era tão difícil para Paulo quanto é para nós. O apóstolo sabia exatamente por que os cristãos eram perseguidos aonde quer que fossem e entendeu bem que isso fazia parte do plano de Deus. Ele o explicou deste jeito: "somos sempre entregues à morte por causa de Jesus". Por quê? "Para que também a vida de Jesus se manifeste em nossa carne mortal. De modo que, em nós, opera a morte, mas, em vós, a vida" (2 Co 4.11–12).

De algum modo misterioso, o modelo da Sexta-feira Santa e do Domingo de Pascoa se repete na experiência da igreja perseguida. Na verdade, isso se torna necessário para a evangelização dos perdidos. Existe algo sobre ver crentes fiéis suportarem sofrimentos por amor de Jesus Cristo que ajuda os descrentes a entender o evangelho. Eles não conseguem ver Jesus pendurado sobre a cruz, mas eles enxergam uma comunidade que compartilha dos seus sofrimentos, e Deus utiliza esse terrível emblema para trazer da morte uma nova vida espiritual. Uma igreja marcada pela cruz mediante o seu sofrimento no mundo é testemunha viva do evangelho do Cristo ressurreto.

Um exemplo convincente da história da igreja ocorreu na cidade de Otranto (próxima à Roma) em 1480. Enquanto os cristãos de lá defendiam desesperadamente seus lares e famílias contra as forças muçulmanas, milhares foram mortos. Entre os sobreviventes, mulheres e crianças foram levadas escravas, enquanto cerca de oitocentos homens entre quinze e cinquenta anos de idade tiveram de escolher entre se converter ao Islã ou ser decapitados. Depois de serem brutalmente assassinados o bispo e o arcebispo da cidade, um corajoso alfaiate de nome Antonio Primaldi conduziu o resto dos sobreviventes a desafiar o Islã. Eles foram decapitados um a um. Conforme a *Historia della Guerra di Otranto del 1480*, de Giovanni Laggetto, Primaldi disse: "Lutamos para salvar nossas almas para nosso Senhor, que tendo morrido na cruz por nós, é bom que morramos por ele".[52]

Como os dignos cidadãos de Otranto, muitos cristãos perseguidos viram a conexão entre seu excruciante sofrimento e a cruz de Cristo. E, muitas vezes, Deus tem usado o testemunho corajoso de mártires para levar pessoas à fé em Jesus. Isso explica por que Paulo não foi angustiado, desanimado ou sentiu-se desamparado e destruído, mesmo quando atribulado, perplexo, perseguido e abatido. Ele podia ver que Deus usava seus sofrimentos para salvação dos perdidos. "Porque todas as coisas existem por amor de vós, para que a graça, multiplicando-se, torne abundantes as ações de graças por meio de muitos, para glória de Deus." (2Co 4.15)

O propósito salvífico de Deus nos sofrimentos de seu povo nos chama a um tipo específico de oração: oração para que tais sofrimentos não sejam em vão, mas conduzam à salvação dos perdidos. Sempre que ouvirmos a triste notícia de que nossos irmãos e irmãs estão sendo perseguidos, não podemos nos desesperar. Em vez disso, somos chamados a crer

---

[52] Matthew E. Bunson, "How the 800 Martyrs of Otranto Saved Rome," Catholic Answers Magazine (July 2008), http://www.catholic.com/magazine/articles/how-the-800-martyrs-of-otranto-saved-rome, acessado em 30 de Setembro de 2014.

que isso é parte do propósito de Deus e a nos lembrar de orar por seu testemunho.

Em 12 de setembro de 2014, o pastor Saeed Abedini escreveu uma carta emocionada a sua filha Rebekka por ocasião do seu oitavo aniversário. Abedini escreveu a carta da cela de uma prisão iraniana, onde por anos esteve preso por ter pregado o evangelho de Jesus Cristo. De fato, aquele era o terceiro ano consecutivo que perderia o aniversário de sua menina. Ele escreveu:

> Minha muito querida Rebekka Grace, FELIZ ANIVERSÁRIO DE OITO ANOS! Você está crescendo tão depressa e se torna mais linda a cada dia... Ah! Como eu queria vê-la. Sei que você pergunta por que tem orado tantas vezes por meu retorno e ainda não estou em casa. Agora existe um enorme POR QUE em sua mente: POR QUE Jesus não está respondendo suas orações... A resposta a esse POR QUE é QUEM. QUEM está no controle? O SENHOR JESUS CRISTO está no controle... Jesus permite que me façam ficar aqui para a sua glória... As pessoas morrem e sofrem por sua fé cristã em todo o mundo e algumas indagam: por que? Mas você tem de saber que a resposta para o POR QUE é QUEM. É por Jesus. Ele vale o preço.[53]

AJUDA NA TRIBULAÇÃO

Fica evidente a partir do testemunho do Pastor Abedini que ele experimentou a mesma coisa que o apóstolo Paulo quando esta-

---

53   2014, http://www.samaritanspurse.org/article/pastor-saeeds-letter-to-his-daughter-rebekka/, acessado em 30 setembro de 2014.

va na prisão, ou seja, a presença consoladora do Espírito Santo de Deus. Isso também deve nos chamar à oração. Talvez nem sempre possamos aliviar os sofrimentos da igreja perseguida, embora às vezes isso seja possível. Mas quer consigamos dar a nossos irmãos e irmãs qualquer ajuda prática quer não, pelo menos podemos orar pela paz da presença de Deus.

Em 2015, a *National Association of Evangelicals* (NAE) expressou seu "luto coletivo e profundo pesar pelo sofrimento de cristãos ao redor do mundo". O grupo afirmou: "Nossos irmãos e irmãs em Cristo estão sendo perseguidos, arrancados de seus lares ancestrais e até martirizados por sua fé." A NAE conclamou cristãos de toda parte a "se envolverem em oração contínua por aqueles cujas vidas são ameaçadas, especialmente pelos membros das famílias dos mártires que foram tão brutalmente mortos" e a "dar generosamente para as necessidades dos refugiados e para a reconstrução das comunidades estraçalhadas".[54]

Deus responde às nossas constantes orações pelos cristãos sob ameaças enviando o mesmo tipo de socorro que ele sempre dá quando seu povo está em verdadeiro sofrimento. A Bíblia diz: "O Senhor é também alto refúgio para o oprimido, refúgio nas horas de tribulação" (Sl 9.9). De uma maneira que ultrapassa o entendimento humano, a presença de Deus o Espírito Santo bem junto a nós oferece esperança em meio à escuridão da igreja perseguida. O mesmo Jesus que sofreu a angústia da cruz — e que portanto sabe melhor que ninguém o que é estar angustiado — está conosco para nos salvar.

---

[54] National Association of Evangelicals, "NAE Stands with Persecuted Church," March 10, 2015, http://nae.net/nae-stands-with-persecuted-church/, acessado em 15 de Março de 2015.

As leves e momentâneas aflições de Paulo

Para o apóstolo Paulo, um de seus maiores consolos era saber que qualquer sofrimento que ele tivesse experimentado era apenas temporário, e assim — à luz da eternidade — somente de consequência mínima. Quando olhamos para a lista dos problemas desse homem, podemos encontrar dificuldade para acreditar que tenha sobrevivido a tudo isso, quanto mais permanecido fiel à causa de Cristo. Em certa ocasião, ele admitiu: "Porque não queremos, irmãos, que ignoreis a natureza da tribulação que nos sobreveio na Ásia, porquanto foi acima das nossas forças, a ponto de desesperarmos até da própria vida" (2Co 1.8). Mas em 2 Coríntios 4.17, Paulo descarta todos seus sofrimentos com um aceno de mão, chamando-os de "leve e momentânea tribulação".

O sofrimento cristão é "momentâneo" porque esta vida é apenas um curto prelúdio para uma longa eternidade. Depois de morrermos, ressurgiremos de novo e passaremos a viver eternamente. Paulo estava absolutamente certo de que o mesmo Espírito Santo "que ressuscitou o Senhor Jesus também nos ressuscitará com Jesus e nos apresentará convosco" (2Co 4.14). "Ora, se somos filhos, somos também herdeiros, herdeiros de Deus e coerdeiros com Cristo; se com ele sofremos, também com ele seremos glorificados", ele disse (Rm 8.17). É por isso que o apóstolo não desanimou, mesmo quando perseguido até a morte. A ressurreição de Cristo significa a ressurreição do cristão, e, portanto, nada temos a perder — somente uma vida para ganhar.

Quando ressuscitarmos, entraremos em glória tão inimaginável que todos os problemas da vida desaparecerão. "Porque a nossa leve e momentânea tribulação produz para nós eterno peso de glória, acima de toda comparação, não atentando nós nas coisas que se veem, mas nas que se não veem; porque as que se veem são temporais, e as que se não veem são eternas." (2Co 4.17–18)

TÃO BEM-SUCEDIDO QUANTO A CRUZ

O eterno peso de glória que Deus preparou para nós é maior do que conseguimos imaginar — e está mais próxima do que pensamos. Escrevendo no segundo século depois de Cristo, o filósofo grego Aristides ofereceu uma descrição de admiração quanto ao modo como os cristãos pensam sobre a morte. "Se algum homem justo entre eles passa deste mundo", escreveu, "eles se regozijam e dão graças a Deus; e conduzem o corpo como se ele estivesse sendo levado de um lugar para outro bem próximo".[55] Esse é o modo certo de os cristãos de todas as partes pensarem sobre a morte e a vida: o céu está próximo.

As pessoas que realmente acreditam nisso — as pessoas que se agarram à cruz e olham com esperança para o peso da glória de Deus — são as pessoas que fazem maior bem no mundo, com mais paciência e perseverança.

Um exemplo notável vem da vida de Clarence Jordan. Homem de capacidade incomum, Jordan tinha doutorado em grego, hebraico e agronomia. Por mais talentoso que fosse, Jordan dedicou sua vida a servir os pobres. Na década de 1940, fundou a Fazenda Koinonia em Americus, Geórgia — um lugar onde brancos e pretos pobres pudessem viver juntos em comunidade cristã.

---

55 D. M. Kay, trad., The Apology of Aristides the Philosopher, Early Christian Writings, http://www.earlychristianwritings.com/text/aristides-kay.html, acessado em 30 de Setembro de 2014.

As leves e momentâneas aflições de Paulo

Uma comunidade multirracial como a Fazenda Koinonia enfrentava hostilidade severa no sul dos Estados Unidos, fortemente segregado na década de 1940, muitos deles membros de igrejas. As pessoas na cidade tentaram de tudo a fim de parar Jordan. Boicotaram seus produtos. Cortaram os pneus dos automóveis de seus trabalhadores. Finalmente, em uma noite de 1954, a Ku Klux Klan veio e tentou se livrar dele de uma vez por todas. Atearam fogo em cada um dos prédios da fazenda com exceção da casa de Clarence, a qual encheram de tiros.

No dia seguinte, um repórter chegou para ver o que restava das casas que tinham sido incendiadas. Para sua surpresa, encontrou Dr. Jordan trabalhando duro no campo, arando e plantando. "Ouvi falar da terível notícia", disse o repórter, "e vim escrever uma história sobre a tragédia do fechamento da sua fazenda."

Jordan continuou revirando o solo enquanto o repórter o importunava procurando uma resposta, o qual finalmente disse: "Bem, Dr. Jordan, o Sr. tem aqueles dois Ph.D.s e gastou catorze anos nesta fazenda, nada sobrando de todo esse esforço. Quanto você acha que tem sido bem-sucedido?

Jordan parou um pouco, apoiou-se em sua enxada, olhou nos olhos do homem e disse: "O mesmo sucesso da cruz". Então continuou: "Meu senhor, acho que você não nos entende. O que estamos fazendo não diz respeito a sucesso, mas a fidelidade. Nós vamos ficar. Boa tarde".[56]

Sinceramente, eu espero ser poupado de perseguições sérias. Mas, se vierem em meu caminho sofrimentos iguais a esses, oro para que seja uma "leve e momentânea aflição", que

---

56 Recounted in Tim Hansel, *Holy Sweat* (Dallas, TX: Word, 1987), 188–89.

QUANDO OS PROBLEMAS APARECEM

meu serviço a Jesus seja tão bem-sucedido, do seu próprio jeito, quanto a cruz, e que pela fé no Cristo ressurreto, ganharei o eterno peso da glória de Deus. Tenho a mesma esperança e a mesma oração para todos que lêem este livro.

EPÍLOGO

AÍ VÊM OS PROBLEMAS!

(JOÃO 16.25–33)

Então, é daqui a uma semana, ou daqui a um ano, ou talvez em uma década, e você estará em apuros. Problemas reais. Não é outra pessoa que está passando por dificuldades – dessa vez, é você mesmo.

Não posso lhe dizer que tipo de problemas você terá. Talvez você sofra de uma doença debilitante ou repentinamente enfrente uma doença com ameaça de morte. Talvez perca alguém quem ama. Talvez seja sobrecarregado pela pobreza, derramamento de sangue e as lutas de uma raça caída. Talvez passe por uma crise de fé na qual, inesperadamente, duvide das promessas salvíficas de Deus em Jesus Cristo. Ou, aos poucos, você tenha se afastado do Senhor até que um dia acorda e percebe que está em um lugar onde jamais esperava estar espiritualmente.

Qualquer que seja sua situação específica, um dia você vai se achar repetindo a letra do velho *negro espiritual* americano:

QUANDO OS PROBLEMAS APARECEM

> Sou eu, sou eu, Senhor,
> Precisando de oração.
> Não é meu irmão nem minha irmã, Senhor,
> Sou eu, Senhor,
> Precisando de oração.
> Não é minha mãe nem é meu pai, sou eu, Senhor,
> Precisando de oração.
> Não é o estrangeiro ou meu vizinho,
> Sou eu, Senhor,
> Precisando de oração.

NÃO SURPREENDIDO PELO SOFRIMENTO

Como posso saber que você terá problemas?

Poderia defender essa afirmação *historicamente* contando as histórias de outros cristãos. Como pastor e presidente de faculdade, tenho ouvido muitas histórias de grande tristeza: enfermidade crônica; morte de amigos chegados ou de filhos; desânimo e dúvidas; fé perdida e ainda não recuperada; ansiedade; sonhos adiados até serem finalmente abandonados. Essas são apenas algumas das histórias que eu poderia contar, baseadas simplesmente na vida de pessoas que conheço.

Eu também poderia defender minha afirmação *pessoalmente*, contando alguns de meus próprios sofrimentos. A minha vida tem sido abençoada de forma extraordinária, mas no decorrer dos anos, tenho sofrido minha porção de provações, carregado alguns fardos bastante pesados. Tenho tido dificuldades suficientes para entender o que um amigo quis dizer quando afirmou: "Estou em estado constante de sofrer de pré-perfeição".

Epílogo: Aí vêm os problemas!

Poderia defender essa afirmação *biblicamente* ao voltar para Gênesis 3, onde lemos sobre como nossos primeiros pais comeram do fruto proibido. Poderia então mostrar as trágicas consequências de sua queda em pecado, a qual Jó resumiu dizendo: "O homem, nascido de mulher, vive breve tempo, cheio de inquietação" (Jó 14.1). Ou poderia defender minha afirmação *teologicamente* falando sobre as doutrinas do pecado original, da depravação total e do juízo final — as doutrinas que ajudam a explicar todos os problemas do mundo.

Mas, em vez disso, quero falar mais diretamente. Quero defendê-la *cristologicamente*, citando as palavras claras de Jesus, que simplesmente disse: "Neste mundo vocês terão aflições" (Jo 16.33 NVI).

Jesus disse essas palavras no cenáculo quando partilhava sua Última Ceia com seus discípulos. Ele sabia que sua hora havia chegado e que logo sofreria pelos pecados do mundo. Ao antever o tempo em que não estaria mais ali, sabia que seus discípulos enfrentariam um problema após o outro. Esse tema surge repetidamente em seus discursos finais. Jesus falou aos discípulos que os deixaria (Jo 13.33, 36; 16.28). Disse-lhes que o mundo os odiaria tanto quanto odiou a ele (Jo 15.18–19). Disse-lhes que as pessoas procurariam matá-los (Jo 16.2) e que eles chorariam e lamentariam em tristeza e angústia (Jo 16.20). Disse-lhes que eles o abandonariam e se espalhariam por todo lado (Jo 16.32). Finalmente, resumiu todas as suas tribulações na simples declaração: "Neste mundo vocês terão aflições".

Embora essas palavras tenham sido ditas especificamente aos primeiros discípulos, permanecem relevantes hoje para qualquer pessoa que queira fazer diferença no mundo por Jesus Cristo. Uma coisa é certa: os problemas estão a caminho.

QUANDO OS PROBLEMAS APARECEM

Provavelmente você já sabe disso. Se você faz parte da igreja, sabe que tribulações são comuns ao povo de Deus. Como presidente de uma faculdade cristã, sempre me surpreendo quando as pessoas falam sobre o "mundo real" como algo que só podem experimentar quando estão fora do campus. Pelo que sei, temos os mesmos tipos de problemas na Wheaton College que as pessoas têm em qualquer lugar. Todo ano, alguns de nosso corpo docente, membros da equipe e alunos adoecem e sofrem a morte de membros próximos de suas famílias. Alguns enfrentam dificuldades financeiras — tempos em que não sabem como Deus proverá. Alguns são prejudicados por outros membros da comunidade ou sentem que foram tratados injustamente por aqueles que estão no poder. Há conflitos sobre raça, teologia, sexualidade, política e religião —todas as principais lutas que existem no mundo. Em um ou outro ponto, a maioria das pessoas em nossa comunidade se sente desanimada, talvez até desesperada.

Isso não é incomum. Na verdade, é a experiência normal do povo sofrido de Deus neste mundo pecaminoso. O que Jesus disse aos discípulos tem sido verdade para a sua igreja no decorrer dos séculos: "Neste mundo vocês terão aflições".

Essas palavras parecem especialmente relevantes para a igreja hoje. Uma das principais razões pelas quais teremos aflições é porque somos seguidores de Jesus Cristo. Esse é realmente o ponto principal de João 16.33. Nossos compromissos e convicções serão opostos por uma cultura que busca seu próprio poder e prazer em vez de a honra e a glória de Deus. É difícil prever onde um cristão individualmente enfrentará essa pressão. Mas quanto mais as pessoas dizem que o cristianismo é intolerante e imoral, mais tentador será deixar Jesus Cristo

Epílogo: Aí vêm os problemas!

fora da conversa, e assim tentar evitar os probemas que vêm a todos que carregam o seu nome.

TENDE BOM ÂNIMO

Em antecipação à sua inevitável tribulação, quero terminar este livro com uma mensagem de esperança no evangelho. É a mesma mensagem dada por Jesus a seus discípulos. Sim, ele foi sincero quanto aos muitos problemas que certamente enfrentariam, mas nem por um momento considerou isso algo sobre o qual tivessem que se preocupar. De fato, Jesus disse-lhes repetidamente que *não* turbassem o coração.

Vemos isso no começo de João 14. Jesus havia acabado de profetizar que Pedro, entre todas as pessoas, iria negá-lo três vezes naquela mesma noite. Os discípulos devem ter ficado chocados quando ouviram aquilo e seus rostos provavelmente demonstravam isso, porque a próxima coisa que Jesus disse foi: "Não se turbe o vosso coração" (Jo 14.1a).

Jesus disse o mesmo posteriormente no capítulo ao explicar como seria a vida para os discípulos sem ele. Ele sabia quanto ficavam desanimados toda vez que lhes dizia que iria deixá-los — algo que ele disse repetidamente na noite em que foi traído. Mas Jesus os tranquilizou dizendo que enviaria o Espírito Santo e os encorajou dizendo: "Não se turbe o vosso coração, nem se atemorize" (Jo 14.27). De uma forma simples, Jesus nos ordena a não nos perturbarmos com os nossos problemas.

Ouvimos a mesma ordem em João 16.33, onde Jesus diz: "Estas coisas vos tenho dito para que tenhais paz em mim. No mundo, passais por aflições; mas tende bom ânimo; eu venci o mundo". Essa declaração é um imperativo divino. Jesus Cristo não está apenas nos encorajando a fazer algo; ele nos manda fazê-lo. Não importam os problemas que virão, não deixem seus corações ficarem perturbados, mas encham-se de coragem.

Essa não foi a primeira vez que Jesus disse a alguém para ter bom ânimo. A presença dessa ordem em outras narrativas dos Evangelhos (Mt 9.22; Mc 6.50) nos dá a impressão de ser essa uma das declarações favoritas do Salvador. Mas dessa vez, veio com uma promessa. Jesus nos deu uma razão excepcionalmente boa para nos encher de ânimo. Disse ele: "No mundo, passais por aflições" para então continuar: "mas tende bom ânimo, eu venci o mundo" (Jo 16.33).

O que pode parecer estranho sobre essa promessa é o tempo verbal usado por Jesus. Lembre-se de que Jesus disse essas palavras na noite *anterior* à sua morte na cruz. Ainda não tinha pagado o preço por nosso pecado, oferecendo expiação por meio de seu sangue sacrificial. Ainda não tinha voltado do sepulcro, ressuscitando pelo poder do Espírito Santo em um corpo de imortal esplendor. Ainda não havia ascendido ao céu, reivindicando seu lugar de governo e autoridade à destra de Deus Pai. Jesus ainda não havia consumado a obra para a qual veio ao mundo. Contudo, afirmou: "Eu venci o mundo".

No tocante a Jesus, o trabalho da nossa salvação era como se já tivesse sido feito. Ele já havia resistido toda tentação de pecar. Estava então totalmente preparado para oferecer sua vida em sacrifício perfeito. Os eventos históricos que o levariam à cruz, ao túmulo e depois para fora do túmulo vazio já haviam começado. Jesus estava olhando adiante, pela fé, para o dia em que sua promessa seria realizada, quando venceria o mundo.

O que essa promessa significa para nós nos dias de hoje?

Se Jesus venceu o mundo, então a morte foi derrotada, a dívida do pecado foi cancelada e a porta para a vida eterna já está

Epílogo: Aí vêm os problemas!

aberta. Portanto, nossos problemas são apenas temporários, e qualquer sofrimento que experimentamos jamais nos separará do amor de Deus por nós em Jesus Cristo.

Se Cristo venceu o mundo, *nós* podemos vencer o mundo. Podemos resistir à tentação. Podemos perseverar em meio à perseguição. Podemos viver por Cristo e por seu reino. Também podemos *morrer* por Cristo e por seu reino, tendo plena esperança de receber tudo o que Deus prometeu às pessoas que venceram o mundo: comeremos da árvore da vida (Ap 2.7), nos assentaremos no trono do céu (3.21), receberemos a plena herança dos filhos de Deus (21.7), veremos o fim de toda opressão e toda lágrima será limpa de nossos olhos (v. 4).

É por essa razão que nos animamos: porque Cristo venceu o mundo. Em seu sermão sobre João 16.33, Charles Spurgeon afirmou: "As palavras do meu Senhor são verdadeiras quanto às aflições. Sem dúvida, tenho tido a minha parcela delas". Ao dizer isso, com certeza Spurgeon se referia a prórpia luta, ao longo de toda sua vida, com a depressão, entre outros sofrimentos. Mas prestando cuidadosa atenção na ordem de Cristo, "tende bom ânimo", conforme a versão antiga da Bíblia King James, o famoso pregador perguntou em voz audível qual seria o argumento que seu Salvador usaria para dar apoio a uma ordem tão ousada. "Ora, é a sua própria vitória", Spurgeon respondeu. Estamos, portanto, lutando contra um inimigo que já foi derrotado. "O mundo", disse ele, "Jesus já te venceu; e em mim, por sua graça, ele novamente te vencerá. Portanto, tenho bom ânimo e canto ao meu Senhor vencedor".[57]

---

57 Charles Spurgeon, "Be of Good Cheer," devotional based on John 16:33 for May 31, *Faith's Checkbook: Being Precious Promises Arranged for Daily Use with Brief Experimental Comments* (Chicago: Moody Press, n.d.), 152.

QUANDO OS PROBLEMAS APARECEM

OS VENCEDORES

Quando vier a provação — como certamente virá — espero e oro para que, em vez de turbar o seu coração, você tenha ânimo nas promessas de Deus e na vitória vencedora de Jesus Cristo, que deseja dar-lhe a sua paz.

É isso que o povo de Deus tem feito no decorrer dos séculos quando estava em todo tipo de aflição que se possa imaginar. Pense novamente nos grandes homens e mulheres de fé que consideramos neste curto livro — e imagine o que eles diriam se hoje pudessem dar testemunho do modo como Deus, em sua graça, os capacitou a vencer.

Isaías diria: "No ano em que morreu o rei Uzias, eu estava em sérios problemas. Vi o Senhor santo e exaltado no seu santo e sublime trono e desmoronei. Disse: 'Ai de mim! Estou perdido! Sou um homem de lábios impuros'. Mas animem-se, meus amigos: o Senhor venceu todos os meus pecados. Tirou a minha culpa e expiou minhas transgressões. Tocou meus lábios sujos e me purificou".

Elias nos daria esperança no poder do Deus que cura. Diria: "Foi depois que desci do monte Carmelo, onde caiu fogo do céu e Deus derrotou os profetas de Baal, que eu me encontrei em sérios apuros. A rainha Jezabel queria me matar. Fiquei com medo e fugi para salvar minha vida. Corri quase 500 quilômetros antes de parar, mas não consegui fugir dos meus problemas. A certa altura, orei pedindo que Deus me matasse imediatamente. Mas anime-se: o Senhor venceu a minha profunda depressão. Ele me tocou, me alimentou, falou-me com voz de brisa suave, dando-me a graça de prosseguir".

Rute nos diria que quando houve fome na terra e não tinha rei que governasse Israel, ela teve problemas muito sérios. Ela

Epílogo: Aí vêm os problemas!

diria: "Perdi meu marido e saí da minha casa. Viajei a uma terra distante e não tinha nada para chamar de meu. Era questão de vida ou morte. Eu não tinha nada para comer. Mas anime o seu coração: o Senhor venceu meu luto e minha pobreza. Ele me abrigou sob suas asas. Ele me levou a um campo cheio de cevada, onde caí nos braços de meu resgatador".

O rei Davi também teve os seus problemas. Ele nos diria que na primavera — quando os reis saem para a batalha — ele se meteu em sérios apuros. Ele diria: "Vi uma linda mulher. Eu não devia tê-la olhado de novo, porque sabia que era mulher de outro homem. Mas cedi a uma tentação mortal e tomei-a para mim. Meu pecado terrível quase destruiu minha família. Mas anime-se: o Senhor venceu meu erro trágico, dando-me a graça de confessar meu pecado. "Clamou este aflito, e o Senhor o ouviu e o livrou de todas as suas tribulações" (Sl 34.6). Acredite em minhas palavras: "Vem do Senhor a salvação dos justos; ele é a sua fortaleza no dia da tribulação. O Senhor os ajuda e os livra" (Sl 37.39–40a).

O profeta Jeremias daria um testemunho diferente da sobrepujante graça de Deus. Ele diria: "Eu estava no templo em Jerusalém, ao lado do portão de Benjamim, e estava realmente em apuros. Estive pregando as palavras verdadeiras de Deus, mas os líderes religiosos não queriam ouvir a verdade e, assim, me açoitaram e jogaram na cadeia. Tenho vergonha de admitir, mas passei por uma noite escura da alma, em que lancei a culpa de todos os meus problemas sobre Deus e disse que nunca queria ter nascido. Mas, anime o coração: o Senhor conquistou meus inimigos e venceu meu desepero. Ele me resgatou da prisão. Restaurou minha esperança e renovou minha fé nas promessas de seu pacto.

QUANDO OS PROBLEMAS APARECEM

Ele é "força minha, e fortaleza minha, e refúgio meu no dia da angústia" (Jr 16.19a).

Maria nos diria que no tempo em que estava prometida mais ainda não tinha se casado — algum tempo depois do noivado e antes das nupciais — ela estava em verdadeiros apuros. Diria: "Parece incrível, mas um anjo veio e disse que eu conceberia um filho em meu ventre virgem. Quando esse filho nascesse — o menino Jesus — nada teríamos senão problemas. Os soldados vieram matar meu filho. Fugimos para o Egito e lá éramos refugiados antes de voltarmos para casa. Meu garoto tornou-se homem. Deixou-me então para trás para fazer a obra de seu Pai. Sempre havia pessoas contra ele, até que finalmente elas o mataram. Mas, anime seu coração: o Senhor venceu todos os fardos de minha alma conturbada. Ele me deu fé para crer que ele pode fazer o impossível. E o fez: ressuscitou da morte o meu filho crucificado com o poder da vida eterna".

Considere, finalmente, o testemunho do apóstolo Paulo. Ele nos diria que esteve em Éfeso, Filipos, Corinto ou em algum desses lugares e se encontrara em verdadeiros apuros. Diria: "Lá eu estava em uma escura prisão" ou "Lá estava eu, tentando manter a cabeça para fora das ondas" ou "Estava lá no chão, inconsciente, deitado sobre uma poça de sangue". Diria: "Todas essas coisas me aconteceram quando eu estava pregando o evangelho. Coisas ruins poderão lhe acontecer também se você der testemunho fiel de Jesus Cristo. Mas anime-se: o Senhor Jesus venceu todas as minhas tribulações. Em meio a tudo que sofri, ele jamais quebrou sua promessa de nunca me deixar nem me abandonar. Quando olho minha vida à luz da eternidade e considero o peso de

Epílogo: Aí vêm os problemas!

glória que me aguarda, não vale a pena ser mencionada nenhuma das minhas leves e momentâneas aflições".

Cada um desses homens e mulheres sofreu muito. Se você voltar para o Sumário, verá que cada um dos títulos dos capítulos usa um pronome pessoal como eu, meu, você ou nós. Cada uma dessas histórias é pessoal porque o que essas pessoas sofreram foi pessoal. Mas a libertação que tiveram também foi pessoal, para que pudessem oferecer um testemunho pessoal da graça vencedora de Deus.

PRONTO OU NÃO?

Ao considerar as palavras desses grandes homens e mulheres de fé, fico pensando no testemunho que você dará. Eu queria poder dizer que todos os seus problemas acabaram. Mas estou preso ao dever de falar a verdade, e a verdade é que neste mundo teremos aflições. Não tome apenas a minha palavra por certo; creia nas palavras de Jesus Cristo. A questão é o que você fará com seus problemas quando eles vierem, e como você confiará que Deus o trará seguro até o fim.

De forma triste, muitas pessoas não estão preparadas para todas as aflições que irão enfrentar. De todos os livros que as pessoas lêem no Kindle, uma citação se destaca acima de todas, em uma margem de dois para um. É uma sentença de *Jogos Vorazes*, onde lemos: "Porque às vezes as coisas acontecem às pessoas e elas não estão equipadas para lidar com elas".[58] Isso mesmo.

As coisas acontecerão a você também — coisas que não sente totalmente pronto para enfrentar. Mas Deus tem graça

---

58 Citado por Mark Shiffman, "*Majoring in Fear*," First Things (Novembro 2014), 19. 168

QUANDO OS PROBLEMAS APARECEM

para você em Jesus Cristo. Ele o guairá onde deseja que você vá. Ele proverá tudo de que você necessita. Perdoará os seus pecados, redimirá os seus erros e o consolará em meio às suas tristezas. Restaurará a sua alma e renovará o seu espírito. Se necessário, ele salvará sua vida. Ele o ajudará a crescer em graça e lhe dará algo útil para fazer neste mundo — algo que dê honra a Deus e sirva outras pessoas. Assim, seu Salvador lhe diz: "Tende bom ânimo; eu venci o mundo" (Jo 16.33).

Se você crê nessa promessa, quando as aflições vierem, poderá orar em fé como fez Davi: "Vivifica-me, Senhor, por amor do teu nome; por amor da tua justiça, tira da tribulação a minha alma" (Sl 143.11). E quando você orar pedindo socorro, Deus responderá à sua oração e o livrará de todas as suas angústias.

GUIA DE ESTUDOS

PRÓLOGO:
NINGUÉM CONHECE O MEU LABUTAR.

Realmente não se trata de perguntarmos *se* teremos ou não problemas — mas de *quando* eles surgirão. Jesus prometeu que neste mundo caído experimetaríamos aflições. É um dos resultados da queda, como também de nosso status como cidadãos do céu, nós que renascemos em Cristo e somos estrangeiros neste mundo. De fato, se vivemos para Cristo, experimentaremos mais problemas do que se não vivêssemos para ele. Tendo em mente esse pensamento, é sábio nos prepararmos previamente para lidar com os problemas em vez de esperarmos estar no meio deles para desenvolvermos uma estratégia.

1. Dr. Ryken descreve um tempo de sofrimento que experimentou em sua própria vida. Com quais aspectos de sua experiência você consegue se identificar? Você já teve sentimentos similares ou testemunhou esse tipo de sentimento na vida de alguém próximo a você? Compartilhe a sua experiência.
2. Todos temos problemas na vida. Quais estratégias o têm ajudado a passar por tempos difíceis?

3. Quais bênçãos Deus tem lhe dado durante tempos de provação? O que você tem aprendido a respeito de Deus e sobre si mesmo através do sofrimento?
4. Leia o Salmo 37.39–40. Faça uma lista do que Deus faz e do que fazem os justos. O que você aprende ao comparar essas duas listas?
6. Cite algumas maneiras práticas de se refugiar em Deus. Como isso se daria em sua vida cotidiana?

CAPÍTULO 1: O PECADO E A CULPA DE ISAÍAS.

Israel estava em profunda aflição por causa do pecado do rei. Era um tempo sem piedade. Mas Deus, em sua misericórdia, ofereceu esperança e ajuda ao seu povo por meio do profeta Isaías, seu porta-voz. O povo rebelde teve a oportunidade de ouvir uma revelação diretamente de Deus. De início, a mensagem não parecia muito esperançosa. Na verdade, parecia que Deus lhes mandaria juízo e não livramento. O povo de Deus tinha de entender corretamente a situação antes que pudesse ser livrada dela. Isso também acontece conosco: temos de enfrentar a profundidade de nosso problema antes de recebermos a oferta da graça de Deus. Mas quando confessamos nosso pecado, reconhecendo o que ele é — rebeldia contra Deus — e nos desviamos dele, Deus é fiel e justo para nos perdoar e purificar.

1. Qual é a área de sua vida em que é fácil se submeter a Deus? Qual é a mais difícil de entregar a ele?
2. Dr. Ryken faz uma lista de seis "ais" pronunciados por Isaías sobre Israel no capítulo 5 de Isaías: ais por riqueza injusta, embriaguês, desonestidade, relativismo moral, orgulho intelectual e injustiça. Discuta de que

maneiras você vê esses mesmos pecados vividos em sua cultura, igreja e em sua própria vida.
3. Leia Isaías 6.1–7. Descreva o que Isaías estava vivenciando através de seus sentidos — visão, audição, toque, olfato e paladar. Que aspectos de sua descrição são especialmente vivas ou surpreendentes para você?
4. A reação de Isaías à experiência com a terrível santidade de Deus foi de profundo arrependimento. Que pecado ou pecados específicos ele precisava confessar? O que podemos aprender, de sua confissão, sobre o pecado e o arrependimento?
5. O profeta Isaías pode ter pensado que os pecados da língua estavam lá no final da lista de coisas que precisava confessar; contudo, a fala pecaminosa foi a área em que Deus mais tocou a sua consciência. Por qual pecado você tem-se surpreendido ao sentir a convicção do Espírito? Que circunstâncias o levaram a reconhecer a sua queda nessa área?
6. Isaías teve o benefício de entrar na sala do trono de Deus, e isso o levou ao profundo arrependimento. Quão regularmente você medita sobre o caráter e a santidade de Deus, dando-lhe espaço para trabalhar em seu coração? Quais ambientes ou práticas o ajudam a contemplar a santidade de Deus?
7. Quando foi a última vez que permitiu Deus convencê-lo do pecado nas áreas em que se sente menos vulnerável? Que pecado você precisa enfrentar antes de cumprir o chamado de Deus para experimentar mais de sua bênção em sua vida? Como você pode tornar o arrependimento em uma disciplina mais regular em sua vida espiritual?

8. Que princípios de perdão divino você consegue extrair de Isaías 6.6–7?

CAPÍTULO 2: A DESESPERADORA DEPRESSÃO DE ELIAS.

Qualquer pessoa pode cair em profundo desânimo. Mesmo o mais firme defensor do evangelho pode chegar ao ponto de querer desistir e até mesmo questionar se Deus é real. A questão é o que fazemos com a nossa dúvida — levamos a Deus e esperamos que ele nos ajude ou ficamos chafurdando em nossos sentimentos negativos? A história de Elias nos ensina que, se buscarmos a Deus, ele nos ajuda a encontrar um caminho de saída de nossa aflição, revelando-se a nós.

1. Quais emoções ou circunstâncias são as maiores ameaças à sua fé? Que tipo de experiência é mais provável de levá-lo a um ciclo de desânimo e dúvida?

2. O que você faz — saudável ou não — quando fica desanimado ou cheio de dúvidas? O que *deveria* fazer nesses tempos tenebrosos? Que atividades ou disciplinas poderiam renovar o seu espírito e ajudá-lo a experimentar a graça de Deus em tempos de tribulação?

3. Leia 1 Reis 19.1–10. Aqui encontramos o profeta Elias em um momento de extremo desânimo. Olhando para os capítulos anteriores e considerando essa passagem, que fatores podem ter contribuído para a depressão espiritual de Elias? Quais desses fatores têm causado desânimo e dúvidas em sua própria vida?

4. O que fez Elias quando ficou desanimado? Quais dos seus atos nos instruem e servem de exemplo a seguir?

Existe algo em suas ações que serve como advertência para nós —alguma coisa que *não* devemos fazer quando estivernos desanimados?
5. Leia o resto da história em 1 Reis 19.11–21. Faça uma lista com todas as formas pelas quais Deus cuidou de Elias (olhe também para trás nos vv. 5–7). O que isso nos ensina sobre o caráter de Deus? Que princípios aprendemos da experiência de Elias sobre o cuidado de Deus por seu povo durante tempos de desânimo e desespero?
6. Que resultados vemos na vida de Elias que são consequência de suas interações com Deus? Que mudanças você vê do versículo 4 até o final do capítulo?
7. Que conselho prático essa passagem nos oferece ao lidar com o desânimo? E quanto a ajudar o próximo a atravessar um tempo de depressão?

CAPÍTULO 3: O LUTO E A POBREZA DE RUTE.

Às vezes só conseguimos enxergar a escuridão das nossas circunstâncias ou a miríade de maneiras em que a vida nos foi ingrata. Nossa perspectiva fica distorcida e estreita. Mas a história de Rute nos estimula a ver além do que conseguimos enxergar, a possibilidade de que Deus tem algo melhor em vista. Talvez não consigamos ver nesta vida as boas coisas que Deus está fazendo, como eventualmente Rute viu, mas podemos confiar em que, no final, Deus redimirá todas as coisas para a sua glória. Nossa tarefa é simplesmente nos agarrar a essa verdade e depositar a nossa esperança no caráter e nas promessas de Deus.

QUANDO OS PROBLEMAS APARECEM

1. Dr. Ryken cita a seguinte oração: "Somos chamados, simplesmente, a nos agarrar, com toda nossa força, a Cristo e à sua cruz com uma mão; e, com a outra mão, a segurar aqueles que fomos chamados a amar com toda força, com coragem, humor, abandono de si, criatividade, arte, lágrimas, silêncio, empatia, ternura, flexibilidade, à semelhança de Cristo". Pense nesta oração como uma declaração de missão para os cristãos, chamados a ajudar as pessoas quando vêm as provações. Você consegue pensar em algo que possa ser acrescido a essa oração a fim de ajudar alguém que esteja atravessando uma grande perda? De que modo orar desse jeito e amar dessa forma daria resposta ao sofrimento e à violência que vemos no mundo ao nosso redor?
2. Leia Rute 1.1–14 e procure imaginar a cena: Que problemas Rute enfrentou? Você conhece alguém com dificuldades similares? O que você pode fazer esta semana para demonstrar compaixão a alguém que seja pobre, desprovido ou esteja sofrendo um luto?
3. Baseado em Rute 1.15–22, quais foram as consequências práticas – tanto a longo prazo quanto a curto prazo — da escolha de Rute de ficar com Noemi? O que a fala de Rute nos versículos 16–17 revela sobre o seu caráter e suas prioridades?
4. Houve um momento específico em sua vida em que decidiu ir para onde Deus quisesse levá-lo? Compartilhe a sua experiência. Se você ainda não tomou essa decisão, o que o está impedindo de fazer isso?
5. Também enfrentamos decisões menores na vida, algumas das quais com consequências a longo prazo. Você

já teve de fazer o tipo de escolha que Rute fez de permanecer em algum lugar ou ir para algum lugar? O que você decidiu e quais foram as consequências a curto e a longo prazo?
6. Dr. Ryken descreve as três categorias de amizade de Aelred de Rievaulx: carnal (vamos nos divertir!), mundana (vantagens mútuas) e espiritual (vamos ajudar um ao outro a seguir Jesus). Pense em uma amizade que se encaixe em cada uma dessas categorias. Que influência — positiva ou negativa — cada amigo teve sobre a sua vida?
7. Você acha possível ter muitas amizades espirituais como a que Rute e Noemi compartilhavam ou elas são raras? Explique a sua resposta. Se você não tem uma verdadeira amizade espiritual, pense em algumas maneiras de encontrar – e se tornar – um amigo que leve a amizade para mais perto de Jesus.
8. Ao considerar o resto da história (leia os capítulos 2–4 para refrescar a memória ou saber o que aconteceu com Rute e Noemi), que benefícios essas duas mulheres receberam como resultado do seu relacionamento? Como a amizade delas se tornou bênção para outras pessoas?
9. Ao refletir sobre suas próprias amizades, que passos você acha que Deus o está chamando a dar a fim de tornar-se um melhor amigo para alguém? Existe algum relacionamento que queira mudar para a categoria espiritual? O que seria um bom próximo passo em direção a esse alvo?

CAPÍTULO 4: A MORTAL TENTAÇÃO DE DAVI.

Nenhuma pessoa — nem mesmo o líder mais forte — está imune ao pecado. De fato, Satanás parece guardar os seus piores ataques e tentações mais enganosas para aqueles que são ministros efetivos do evangelho. A história de Davi nos lembra de que cada pequena escolha que fazemos nos conduz a um caminho em direção à obediência ou ao pecado. Pequenas coisas são importantes. Mas, se tivermos escolhido o caminho errado, mesmo que acabemos em um lugar que nunca planejamos chegar, sempre há esperança. Nunca estamos fora da capacidade de Deus de nos salvar.

1. De forma triste e inevitável, alguns líderes cristãos de grande destaque têm quedas públicas relacionadas a algum pecado pessoal. Que fatores podem levar pessoas piedosas a pecados devastadores?

2. A partir do que você conhece sobre a história de Davi, o que Deus fez — e o que Davi fez — durante os anos entre o seu chamado para reinar e a sua ascensão ao trono? Quais hábitos e experiências fizeram dele um líder bom e piedoso?

3. Dr. Ryken destaca que, mesmo quando fazemos todas as coisas certas e temos toda vantagem espiritual, ainda podemos ceder à tentação mortal. Que sinais você vê de que está em perigo espiritual? Que ações protetivas específicas você pode tomar à luz do constante perigo em que se encontra?

4. Leia 2 Samuel 11.1–17. Quais as causas da queda de Davi? Que sinais de alerta ele ignorou? Que ações ele poderia ter tomado no caminho para evitar suas transgressões?

5. Contraste o comportamento de Urias com o de Davi. O que Urias fez de diferente? Que fatores o ajudaram a permanecer sem culpa enquanto Davi pecou?

6. Que estratégias Natã usou em 2 Samuel 12.1-14 para ajudar Davi a ver o próprio pecado? Você já teve de confrontar alguém em relação ao seu pecado? Quais foram os resultados — positivos ou negativos — tanto em sua vida quanto na vida da pessoa que você confrontou? Que princípios você pode extrair do modo como Natã tratou a situação de Davi e que poderão ajudá-lo em circunstância semelhante no futuro?
7. Nessa história, onde você vê o juízo de Deus? E a sua misericórdia? Como Deus ajudou Davi em seu tempo de maior angústia?
8. Olhando para a experiência de tentação, pecado e arrependimento de Davi, bem como a sábia liderança espiritual de Natã, que lições você aprendeu que devem afetar a sua vida nesta semana? De qual tentação você necessita se proteger? Que pecado precisa confessar? Que pessoa precisa ouvir a mensagem da santidade e misericórdia de Deus nesta semana?

CAPÍTULO 5: A PERSEGUIÇÃO DESANIMADORA DE JEREMIAS.

O sucesso no ministério nem sempre se parece com sucesso. Podemos trabalhar muitos anos por uma única conversão. Podemos nos sentir como se mais pessoas estivessem se desviando do evangelho do que se chegando até ele. Mas quando somos tentados ao desespero, a história de Jeremias nos lembra de que a nossa fé repousa sobre o Deus invisível. As coisas visíveis são temporárias, enquanto o que não se vê é eterno. Ao lutarmos para ver o invisível com nossa visão limitada e presa à terra, Deus ouve nosso clamor por socorro, nossos cânticos de louvor e nossa fé — por menor que seja — nas suas promessas.

QUANDO OS PROBLEMAS APARECEM

1. O que você crê que Deus o chamou para fazer neste mundo? Conforme a famosa citação de Frederick Buechner: "Onde sua profunda alegria e a fome do mundo se encontram"?
2. Leia Jeremias 20.7-18. Que problemas Jeremias enfrentou?
3. Como você descreveria o estado físico, espiritual e emocional do profeta? Que frases expressam sentimentos que você já tenha vivenciado? Que circunstâncias levaram a tais sentimentos?
4. Jeremias levou a Deus suas dúvidas. O que o surpreende quanto a sua oração? Para você, esse nível de sinceridade é fácil ou difícil de expressar quando conversa com Deus?
5. Por que você acha que Jeremias expressou sua fé nos versículos 11-13 e depois voltou ao desespero? O que isso nos ensina sobre oração e louvor? E sobre fé e dúvida na vida do crente?
6. Que atributos divinos Jeremias louva nos versículos 11-13? Que promessas de Deus ele recorda? Que ações ele confia que Deus fará?
7. Mesmo pessoas que possuem um forte senso de seu chamado — como Jeremias — não estão imunes a tempos de futilidade aparente quando estão fazendo todas as coisas certas, mas a vida é dura e o ministério parece infrutífero. Que disciplinas de fé o têm ajudado a perseverar em meio aos momentos de dúvida?
8. Escreva uma breve confissão de fé que se aplique especificamente às suas circunstâncias atuais e use-a para guiar sua mente e seu coração ao orar nos próximos dias.

Guia de estudos

CAPÍTULO 6: A ALMA AFLITA DE MARIA.

Maria achou-se em uma enorme tarefa para a qual não tinha se candidatado. A notícia de que seria mãe adolescente e solteira era ainda pior para ela do que seria hoje em dia, possivelmente colocando sua vida em perigo. Contudo, ela se submeteu ao chamado de Deus, aceitando voluntariamente uma tarrefa que requeria habilidades e coragem que ainda não possuía. No fim, isso é tudo o que Deus pede de nós — que respondamos a ele com a frase "faze em mim conforme a tua palavra" e confiemos em que ele nos equipará para as tarefas que colocou diante de nós.

1. Quais são as suas partes favoritas da história do Natal — as cenas que mais aprecia ano após ano?
2. Geralmente, pensamos em Maria como sendo bendita, e realmente ela era. Mas, como mãe de Jesus, ela também experimentou profunda agonia. Que problemas Maria enfrentou que são comuns a toda mãe? Que sofrimentos foram únicos ao seu chamado como mãe do Salvador?
3. Leia Lucas 1.26–38. Que emoções Maria expressa nessa passagem?
4. Que promessas Deus fez a Maria (falando por meio de seu anjo)?
5. Leia o poema de louvor de Maria em Lucas 1.46–55. Que atributos de Deus Maria celebra?
6. De que maneira o salmo de Maria é semelhante ao louvor que você oferece? De que modo é diferente? Que lições você pode tirar dessa passagem para enriquecer sua vida devocional?

7. Que fatores capacitaram Maria a responder a Deus em submissão quando ele anunciou seu plano de virar sua vida de cabeça para baixo? Como você acha que responderia com a mesma idade, ou hoje? O que você pode fazer que o ajudaria a responder a Deus em fé mesmo quando ele lhe pedir para fazer algo difícil?
8. Existe alguma tarefa desafiadora que Deus o esteja chamando a completar ou um passo de fé que o esteja chamando a tomar? Você responderá como fez Maria — com alegria e obediência voluntária?

CAPÍTULO 7: O SOFRIMENTO ATÉ A MORTE DO SALVADOR.

Somos feitos naturalmente desejosos de justiça. Pense no protesto de uma criança: "Isso não é justo!" ou no prazer que sentimos quando o vilão recebe o que merece. Mas a melhor notícia que já se ouviu foi um triunfo da injustiça — Jesus, o santo Deus-homem e Criador, sem pecado, morreu em favor de suas rebeldes criaturas pecadoras. A justiça significaria recebermos o castigo mortal que merecemos pelo nosso pecado: a morte. A justiça seria Jesus permanecendo em sua glória celestial. Mas Jesus encarnou e morreu por nós. A sua "tristeza até a morte" nos salva de nosso sofrimento maior —as consequências mortais do pecado.

1. Você já passou por alguma aflição que não merecia passar? O que você fez? Como reagiu?
2. Leia João 12.27–28. Que aflições Jesus estava enfrentando? Como o sofrimento dele é relevante para a sua própria vida?

3. Que aspectos da oração de Jesus teriam surpreendido as multidões que a ouviram? De que forma a sua oração nos serve de exemplo de como devemos orar?
4. A oração de Jesus foi um lamento. Leia outra oração de lamento no Salmo 88. Que aflições descritas pelo salmista também foram problemas enfrentados por Jesus? Você já sofreu provações semelhantes? Se sim, como você orou a respeito delas?
5. O Salmo 88 é uma oração brutalmente sincera. Quais são os benefícios desse nível de sinceridade? Existe algum momento em que não seja uma boa ideia orar dessa maneira?
6. Quais expressões de fé você vê no Salmo 88? E em João 12.27–28?
7. Leia Hebreus 4.14–16. Que diferença essa passagem faz em sua vida agora que Jesus conhece, em primeira mão, suas lutas? Como esses versículos podem informar e transformar a sua vida de oração?

CAPÍTULO 8: AS LEVES E MOMENTÂNEAS AFLIÇÕES DE PAULO.

Quando se converteu, Saulo, que causou tanto sofrimento aos cristãos, tornou-se Paulo, que foi muito afligido por ser um cristão. Foi uma inversão tremenda. Muitos de nós necessitamos de uma transformação igualmente miraculosa para entendermos as provações e perseguições que enfrentamos como um presente e não uma maldição. Você está disposto a orar para que a sua perspectiva seja alterada desse modo? Está aberto à possibilidade de suas provações trabalharem para um bem maior do que você consegue imaginar?

QUANDO OS PROBLEMAS APARECEM

1. Você já foi perseguido pela causa de Cristo ou, de algum modo, sofreu por suas convicções cristãs? Descreva a sua experiência. Que impacto essa experiência teve em sua vida espiritual?
2. De acordo com passagens como João 12.24-26, Filipenses 3.10 e 1 Pedro 2.20-23, como devemos enxergar o sofrimento pela fé?
3. Paulo via a perseguição como um presente (2Co 12.10; Cl 1.24). Em que ele cria sobre Deus e sobre si mesmo que o capacitou a pensar em suas extremas dificuldades como um privilégio?
4. Como podemos nos informar melhor quanto à perseguição que irmãos crentes estão sofrendo por todo o mundo? Por que é importante saber o que está acontecendo com nossos irmãos e irmãs? Como devemos responder quando ouvirmos noticiários sobre cristãos sofrendo abusos ou mesmo martírio por sua fé?
5. Faça uma lista das palavras que Paulo usa em 2 Coríntios 4.7-15 para descrever as circunstâncias pelas quais passava. Com quais dessas palavras você pode se identificar?
6. Note o que Paulo faz em resposta a suas terríveis circunstâncias no versículo 13. Quando você é intimidado por ser cristão, como você geralmente reage? Como pode encorajar as pessoas que estão sendo perseguidas por sua fé em Cristo a falar ainda mais?
7. A ousadia de Paulo vinha de sua fé no que Deus pode fazer. De acordo com os versículos 12-15, que bem Deus traz da perseguição dos crentes? Como você vê isso exemplificado em sua própria vida ou nos testemunhos que tem ouvido de outros cristãos?

8. Leia sobre a fonte de nossa esperança em 2 Coríntios 4.16–18. Quais são algumas maneiras práticas de manter essa visão maior em sua mente quando estiver sofrendo ou lutando em oração em favor de irmãos crentes?

EPÍLOGO: AÍ VÊM OS PROBLEMAS!

Esperamos que as histórias deste livro o tenham ajudado a ver os próprios problemas de uma nova perspectiva, preparando-o para as provações que enfrentará no futuro. Espero que elas tenham mostrado como Deus nos ajuda em todas as nossas aflições — consolando-nos com a sua presença, usando nossas lutas para o bem e nos dando oportunidades de usar nossa dor para confortar outros. Neste mundo, sofreremos aflições, mas podemos ter bom ânimo porque Jesus venceu o mundo.

1. Se você pudesse saber o que vai lhe acontecer nos próximos anos, você escolheria saber? Por que sim ou por que não?
2. Em João 14, o que Jesus promete fazer para os seus discípulos no futuro? Que promessas ele faz para o presente — para a vida aqui na terra?
3. De acordo com essa passagem, como Deus nos ajuda em tempos de aflição?
4. Baseado em João 14, que ações devemos tomar durante os tempos de dificuldades na vida cristã?
5. Pensando na vida de Isaías, Elias, Rute, Davi, Jeremias, Maria, Jesus e Paulo, que lições você aprendeu sobre como enfrentar os problemas que quer levar consigo nos dias que virão? Qual dessas histórias o tocou ou desafiou mais que todas?

QUANDO OS PROBLEMAS APARECEM

6. Qual é o seu testemunho sobre ter sido liberto de dúvidas, desânimo ou depressão? Como Deus o tem ajudado em tempos de tribulações?
7. O que você pode fazer agora a fim de se preparar para ficar firme na fé da próxima vez que estiver mais difícil confiar no plano de Deus?

LEIA TAMBÉM

BOM DEMAIS PARA SER VERDADE

Encontrando Esperança num mundo de Ilusões

MICHAEL HORTON

LEIA TAMBÉM

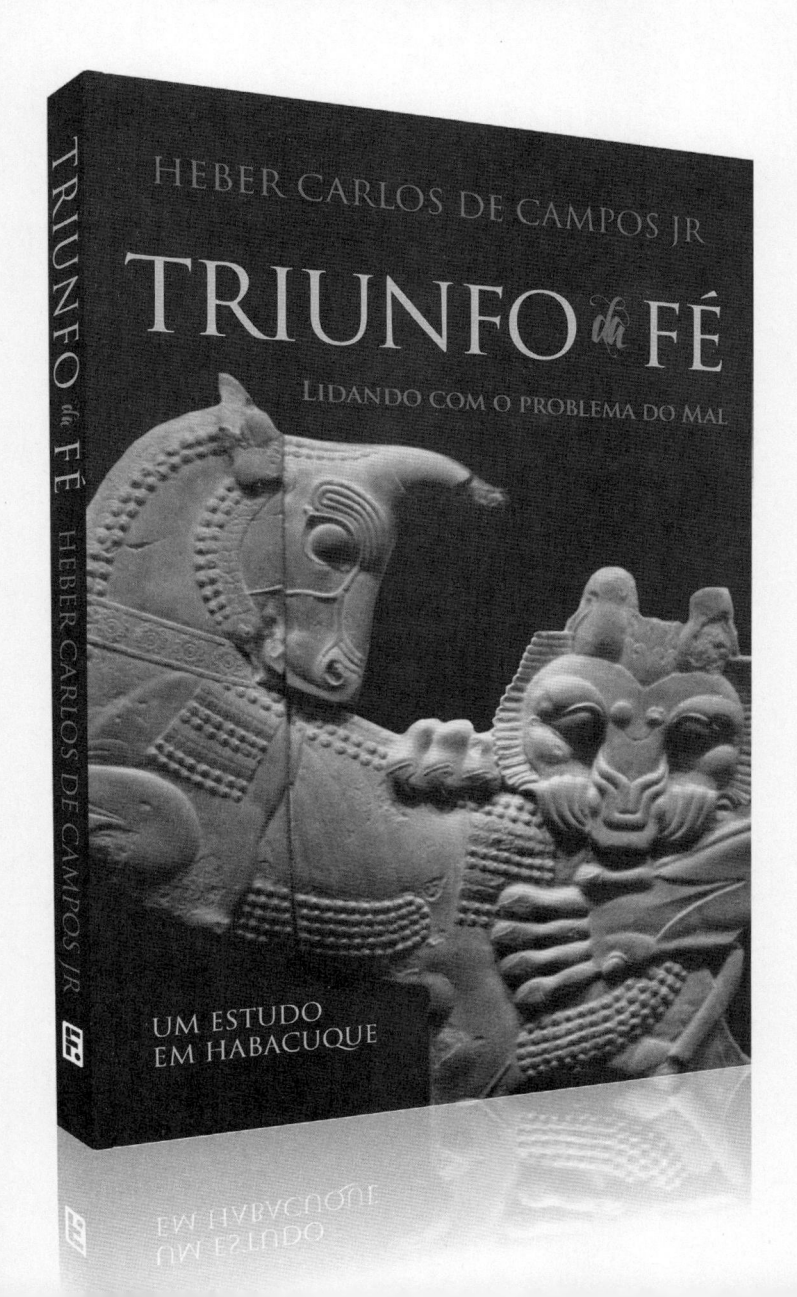

HEBER CARLOS DE CAMPOS JR

TRIUNFO da FÉ

LIDANDO COM O PROBLEMA DO MAL

UM ESTUDO
EM HABACUQUE

FIEL
MINISTÉRIO

O Ministério Fiel visa apoiar a igreja de Deus, fornecendo conteúdo fiel às Escrituras através de conferências, cursos teológicos, literatura, ministério Adote um Pastor e conteúdo online gratuito.

Disponibilizamos em nosso site centenas de recursos, como vídeos de pregações e conferências, artigos, e-books, audiolivros, blog e muito mais. Lá também é possível assinar nosso informativo e se tornar parte da comunidade Fiel, recebendo acesso a esses e outros materiais, além de promoções exclusivas.

Visite nosso site

www.ministeriofiel.com.br

Esta obra foi composta em Adobe Jenson Pro Regular 11,7 e impressa na Promove Artes Gráficas sobre o papel Pólen Soft 70g/m2, para Editora Fiel, em Setembro de 2024 *aparecem* assume que as provações virão — não somente a pessoas que vivem rebeldes contra Deus, mas também, e especialmente, para aqueles que procuram viver para a glória de Deus. Com profunda sabedoria e ampla percepção escriturística, Dr. Ryken identifica as fontes de nossos problemas e nos conclama à fé no Filho que suportou o sofrimento e que participa de todas as nossas tristezas".

Elyse Fitzpatrick, conselheira; palestrante; autora, *Vencendo Medos e Ansiedades*

"Poucos livros apresentam tanto o consolo como o desafio quanto este livro. Dr. Ryken tece a sua própria história com pessoas como Rute, Davi e Paulo, a fim de iluminar o caminho de Deus para a resiliência. Você obterá passos práticos para esperança quando sua própria alma estiver perturbada e um claro chamado à ação quando estiver testemunhando a dor neste mundo."

Lisa Beamer, autora, *Let's Roll*

"Todos os crentes sofrem, e, às vezes, sofremos de maneiras agonizantes. Dr. Ryken nos ajuda a entender o sofrimento da perspectiva de Deus ao recontar as histórias de figuras bíblicas que suportaram o sofrimento. A sua própria história, relatada no início do livro, é comovente e encorajadora. Precisamos de energia e abastecimento para vencer nos tempos difíceis, e Dr. Ryken nos dá esse combustível neste livro saturado biblicamente".

Thomas R. Schreiner, Professor de Interpretação do Novo Testamento da cadeira James Buchanan Harrison; Deão Adjunto da Escola de Teologia, *The Southern Baptist Theological Seminary*

"Uma profunda meditação nas Escrituras entrelaçada com um sábio entendimento da natureza humana produziram um livro que fala com sinceridade às nossas vidas. Tenho pregado e ensinado sobre a maioria das figuras bíblicas descritas neste livro, mas aprendi muitas novas verdades ao ler estes estudos."
Ajith Fernando, Diretor de Ensino, *Youth for Christ*, Sri Lanka; autor, *The Call to Joy and Pain*